こまつ座第124回公演・紀伊國屋書店提携『母と暮せば』舞台写真
出演：富田靖子、松下洸平　撮影：宮川舞子

母と暮せば

HATASAWA Seigo
畑澤聖悟

Mizuki
Shorin

目次

母と暮せば

畑澤聖悟

登場人物

福原伸子（助産婦、現在は休業中）

福原浩二（伸子の息子、原爆で死亡）

注 「／」の台詞は次の台詞や動作に遮られます。

一九四八（昭和二十三）年、八月九日。

長崎市郊外の高台、山の斜面にへばりつくように建てられた一軒家。正面には稲佐山。眼下には長崎湾、西には東シナ海。部屋の中央奥にガラス戸。その奥は玄関。十字架と遺影が飾られた小さな香台がある。二階に至る階段が見える。

縁側に干された手ぬぐいが風に揺れている。

時刻は午後五時頃。黄昏まではまだ時間がある。

伸子、部屋の中央に卓袱台を出し、配膳しながらぶつぶつとなにかしゃべっている。

伸子は白い長袖のブラウス。

伸子　おととぃね、上海のおじさんが来たとよ。「伸子しゃん、今日はよか物《もん》の手ェに入ったばい」っていつもんごと。「ほい石けん。進駐軍の横流し。よかにおいばい。こがん贅沢なもん作っとる国と戦争ばしたとやけんね。馬鹿んごたっ話しばい」……どう？　似とる？

伸子、部屋の奥の香台に一拝し、浩二の遺影を取って卓袱台に置く。

伸子　「あとは、ほい、五島灘のお塩。さらっさらの上物ばい。塩は命の元たい。人間、塩さえあればなんとかなると。もうしわけなかばってん、今日はこんだけばい。こんとこ警察の取り締まりのきびしかとさ。しょうんなかろうが。食えんとやけん。ヤミ屋が悪かなら、ヤミ屋ばせんでも食える政治ばしぇろって。ほんなこて腹んたつ」……塩さえあればなんとかなる、って言うてもねえ。お米もお味噌もなかとよ。お米の配給は、代替え品て言うて砂糖に変わった。軍需物資で蓄えられとったとが、今出て来たとって。石炭ガラもそう。勝手なもんばい。砂糖と石炭の燃えカスだけでどうやって暮らしていけってゆうとね。

食卓の浩二の遺影の前には小さな茶碗に小盛りの菜っ葉粥、小さな鰯の干物、沢庵のみ。

伸子　先月組合事務所で配給になった鰯を干物にしたとが、まだ残っとったとよ。これでも精一杯。許して頂戴。

伸子の背後の階段に腰掛けて、学生服姿の浩二が伸子を見守っている。

伸子　あのお墓にあんたはおらん。そげんことようわかっとる。でも、お参りして、水ば掛けて、手ば合わせて来たとよ。「そろそろ十一時二分ですよ」って町会長さんが言いなさって。来なさっとったみなさんで浦上の方角に手ば合わせて。からーん、からーん。最初に鳴ったとは浦上天主堂の鐘じゃろうね。そしたら長崎中の教会の鐘が一斉に鳴り始めたとよ。もう三年も経ったなんてとても信じられん。またあの日が来たとね。しみじみそう思うて、うちは胸がいっぱいになってしもうたとよ。

浩二、黙って伸子を見ている。

伸子　（食前のお祈りをする）主よ、願わくば我らを祝し、また主の御恵みによりて我らの食せんとするこの賜物を祝したまえ、アーメン。

伸子、箸を取る。と、背後の気配に気付く。

伸子　だれか、おると？
浩二　僕だよ。

伸子、おそるおそる振り返る。

伸子　……コーちゃん？
浩二　うん。
伸子　……コーちゃんなの？
浩二　ああ。
伸子　本当に、コーちゃんなの？

浩二　疑っとると？

短い間。

伸子　信じられん……。

浩二　福原浩二、大正十三年生まれ。山口高等学校卒業、長崎医科大学四回生。身長五尺六寸、体重十七貫。血液型ＲＨ＋ＡＢ。これでどうね？

伸子　疑っとるわけじゃなか。

浩二　なんか聞いてみんね？

伸子　なんば？

浩二　僕しか知らんようなこと。

伸子　よかよ。そげんこと……。

浩二　いいから、聞いてみんね？　さ、早よ。

伸子　……あんたの左の頭に禿のあるやろが？

浩二　あるよ。

伸子　なんで出来た禿か、言うてみんね。

浩二　小学校一年の時、担任の先生に物差しで叩かれたと。「こら、浩二！　なして先生の言うことが聞けんとか、この馬鹿たれが！　バシッ！」
伸子　（感涙しつつ頷く）
浩二　覚えとるやろ。五十過ぎのメガネかけた鬼みたいなおばさん。鬼口先生。
伸子　鰐口先生、やなかったと？
浩二　鬼も鰐も似たようなもんばい。
伸子　（感涙しつつ頷く）
浩二　でも、鬼口先生だけやったとよ。僕のこと耶蘇って言わんかったの。あの先生に四年生まで受け持って貰ってよかったと思うとるとよ。ま、毎年、新しい禿のできてしもうたけど。
伸子　じゃあ、あんたが高等学校のときの……／

浩二、立ち上がって寮歌のリードを唱える。

浩二　うん！　山口高等学校ぉ、寮歌ぁ！　鴻南に寄する歌ぁ！　アインス、ツヴァイ、ドライ！　それーええッ！（歌う）♪柳桜をこきまぜてぇ／

伸子　そいじゃなくて、文化祭で講堂で出し物のあった時、友達五人で何やったか言うてみんね。

浩二、腰を振りながら踊り始める。「酋長の娘」。

浩二　♪私のラバさん酋長の娘、色は黒いが南洋じゃ美人。赤道直下マーシャル群島、ヤシの木陰でテクテク踊る。

伸子拍手。ユーモラスな動きに笑い出す伸子。

浩二　♪ラララララ、ラララーラ、ラララララ、ラララ……

お腹が痛いほど笑う伸子。

伸子　（笑っている）やめて、もうやめて、もうわかった！

浩二　母さん、ずうっと笑っとらんかったろ？　母さんが笑うと僕も幸せになるとよ。

伸子　……。

浩二　しかし母さんもあきらめの悪かね。まだ陰膳なんか据えて。

伸子　だって。

浩二　きっぱりあきらめたとじゃなかと？　町子にもはっきりそう言うたろ。

伸子　うん。

浩二　陰膳は、無事に帰ってきて欲しい家族のために据えるもんばい。

伸子　迷惑やった？

浩二　とんでもない。ありがとうね。母さん。毎日僕のために。

伸子　……礼を言われるほどのもんは出しとらん。

浩二　苦しいのはようわかっとる。なんにもなかもんね。

伸子　米ばかりじゃなか。味噌もなかと。まともにあるとは塩と芋くらい。

浩二　それでもよか。母さんは僕のために精一杯心を込めて作ってくれた。ありがとう。

伸子　……そのあとは私が頂いとったとよ。

浩二　そんなの当たり前やろ。

伸子　さ、食べんね。あんたのご飯よ。

浩二　気持ちは嬉しかけど、僕は、食べられんけん。

伸子　そうなの？
浩二　母さんこそ食べんね。
伸子　あんたが食べんとにうちが食べられるわけなか。
浩二　生きてる人間は食べんといかん。
伸子　……だって。
浩二　母さんが食べると、僕も一緒に食べとる気になるとよ。
伸子　一緒に？
浩二　さ、食べんね。
伸子　……はい。

伸子、箸を取り、もそもそと食べ始める。

浩二　相変わらずやね。人の顔見れば「ちゃんと食べたと？」「お腹すいとらんと？」って。自分の食べる分まで僕にくれて。
伸子　そうやった？
浩二　お産のお礼で貰った野菜や芋を他の妊婦さんにあげてしもうて。配給で貰ったお砂

伸子　糖まであげてしもうて。「だって、お乳の出んと大変でしょ。食べるもんのなかとやけん」。ウチだって食べるものなかとに。

浩二　（食べながら薄く笑う）

伸子　そんなんで足りると？

浩二　十分よ。

伸子　菜っ葉の粥に、ちいさか鰯の干物と漬け物だけで？

浩二　ああ。

伸子　それじゃカロリーが足らん。助産婦の仕事は重労働やろ？

浩二　大丈夫。妊婦さんの家でごちそうしてもろうとるけん。

伸子　……この頃、体つらそうやなかか？

浩二　そんなことなか。調子のよかとよ。

伸子　なして病院行かんと？

浩二　いろいろ忙しゅうして。

伸子　忙しゅうして？

浩二　先月までふた家族が同居しとって。ほら、和子さん一家と藤井さんご夫婦。みんな焼け出されて。ようやく静かになったとよ。

浩二　理由にならん。

伸子　……あんたは元気なの？

浩二　元気なわけなかやろう。僕は死んどるとよ。

伸子　そうか。そうたいね。

浩二　母さん、相変わらずおとぼけやね。僕に向かって「元気なの？」。

浩二、笑い転げる。

伸子　相変わらず、よう笑う子ね。

浩二　笑っとらんとやってられんやろ。

伸子、箸を置く。

伸子　あんた、なして出てきたと？

浩二　なして、ってどういうことね。

伸子　なして、いま？

浩二　母さんが会いたがっとったからやろ？
伸子　ようやく出てきてくれたとね。
浩二　うん。
伸子　ずっと待っとったとよ。
浩二　いいから、食べんね。
伸子　もうお腹いっぱい。ごちそうさま。

伸子、食器を台所に下げる。浩二、部屋の中を見回す。助産婦道具を入れた鞄が見当たらない。

浩二　七つ道具は？
伸子　え？
浩二　七つ道具の入った鞄が見当たらんけど。
伸子　奥にしまったばい。
浩二　なして？
伸子　なしてでも、よかやろ。

浩二　……。

浩二、蓄音機を見つける。

浩二　蓄音機、僕の部屋から運んできたと？

伸子　一度、調子の悪うなってね。上海のおじさんに見てもろうたとよ。そしたら「蓄音機は素人が手を掛けちゃいかん。ヘタに分解したら大変なことになる」って。

浩二　大変って？

伸子　「相当強力なゼンマイの入っとるけん、ものすごい勢いで弾けるとよ。ばしーん、ばしーん！」。

浩二　似とる似とる。

伸子　そいで、持って行ってもろうて、直してもろうて、ここに置いてもろうた。

浩二　なして元通り、二階に運んでもらわんかったと？

伸子　たまにここで聴いとるとよ。……階段の上り下りのつらかけん。

浩二　大丈夫？

伸子　レコード、聴く？

浩二　あとでよか。

伸子　そう。

浩二　上海のおじさんのことやけど。

伸子　なんね？

浩二　気を付けた方がよかばい。

伸子　なして？

浩二　母さんに気のあるとよ。

伸子　まさかあ。

浩二　色目つかいよるばい。

伸子　そんなことなかよ。

浩二　そんなことあるばい。タチの悪か女たらしばい。

伸子　あんひとは、そげんひとじゃなかよ。リュックサックひとつで苦労して上海から引き上げて来らして。息子が原爆で亡くなってしもうて、しばらくしょんぼりしとらしたけど、去年あたりから急に元気になって、ブローカーとかゆうもんやり始めて。元々商売のうまかひとやけん。

浩二　ブローカーっていうか、ヤミ屋やろ。

伸子　まあ、そうね。
浩二　ずいぶんと羽振り良うなったみたいやね。
伸子　そりゃ、一生懸命働きなさるからやろ。
浩二　札びらきって女にモテとるじゃろなあ。
伸子　知らん。
浩二　気ィ付けんばいかん。心配しとるとよ。女の一人暮らしやけん。しかも、母さんは、あれやけん。
伸子　あれ、ってなに？
浩二　……やっぱり、かけんね。レコード。
伸子　うん。

伸子、蓄音機のハンドルを回してそばにあったレコードを取る。そして、アームをつまんで針を乗せる。
メンデルスゾーンのバイオリン協奏曲が流れる。

伸子　あんた、よう聴きよったね。メンデルスゾーン。

浩二　うん。
伸子　すり切れるほど。
浩二　うん。
伸子　素敵ね。メニューインのバイオリンは。
浩二　町子が初めて家に来たとき、二階の部屋でたまたまこいば一緒に聴いたら、町子がものすごう喜んで。
伸子　やっぱりそういうことやったとね。
浩二　なにがね？
伸子　二人して二階の部屋にこそこそ上がっていくじゃなかですか。
浩二　こそこそ、ってなん？
伸子　すぐ、この曲が不自然に大きな音でかかるじゃなかですか。
浩二　不自然ってなん？
伸子　お紅茶とか持って行きたかとけど、二階の気配が全くわからん。母親としては大いに気を遣う場面ですたい。
浩二　なして口調が変わるん？
伸子　うっかりノックのできんでしょ？　こんこん、がらっ、じゃ間に合わん事もあるでしょうし。

浩二　だから。なして口調が変わると？

仲子、立ち上がって階段のところで実演する。

伸子　だから、お盆持ってこう、階段の一段目に足掛けて、様子ば探るとです。今だ、と思ったら、わかりやすく咳払いなんかして。

浩二　もう！　なん言いよーっとさ！

伸子　だから、こういう健気な気遣いがあったって事をあんたに教えとると。

浩二　もうよかけん。

伸子　なんで？

浩二　……恥ずかしか。

伸子　なして恥ずかしかと？

浩二　恥ずかしかやろ！

伸子　あんたら、なんか恥ずかしかことしよったと？

浩二　……し、しよらん。

伸子　そうね？　こたつの中でこう（ごまかすポーズ）してたり、不自然なことの結構あったとよ。
浩二　う、嘘ばい。
伸子　全力で気付かんふりばした母の深か愛に感謝しなさいよ。
浩二　……やめよう。終わったことやけん。
伸子　……。

伸子、レコードを止める。

伸子　……あのね、町子んことやけど。
浩二　全部、見とった。
伸子　そう。
浩二　町子が母さんと二人で、原爆が落ちたばかりの焼け野原を、僕のこと探して歩き回ってくれたとも見とった。町子が母さんを励まして、手を引いて。
伸子　あんときの長崎ん街はもう……地獄。本当に恐ろしゅう、恐ろしゅうして。
浩二　ごめんね、母さん。

伸子　こん家は大丈夫やったけど、そっち側の窓ガラスが全部割れて、こっち側の壁やふすまにびっしり刺さってね。山の上やけど、爆風がまっすぐに来たとやろ。うちはちょうどあのへん（台所の奥）で、気ィ失って。

浩二　ケガせんでよかったよ。

伸子　……気がついて、窓の外ば見たら、長崎の駅から浦上に掛けて、街が無うなっとった。辺り一面燃えて。すぐに坂ば降りたけど、駅から向こうは通行止めで。一睡もできず朝になって、それからあんたを探しに行ったと。

浩二　うん。

伸子　長崎医科大学がなんにも無うなっとった。あんたがいたっていう基礎棟も、薬学専門部の校舎も、生化学の教室も、柵も、柵の外のお家も、電柱も、なんも無うなっとった。あったとは白か灰だけ。そん上に涙落として泣いたとよ。

浩二　うん。

伸子　それでもどっかにあんたが生きとるとじゃなかかと思って、金比羅山、三ッ山、滑石の神宮、医科大の学生さんがいそうな所はみんな歩いて回ったとよ。何日もかけて。あんた、どこにもおらんとやもん。

浩二　ごめん。

伸子　町子は、どこに行くのもついてきてくれた。うちの具合が悪か時もそばにおってくれた。あんたの死亡報告も町子が出してくれたとよ。あんたがおらんごとなって、なんもする気がせんで、なんにも食べとうなくて、このまま死んでしまえばいい、って思っとうた時、町子は私を心配して家に来てくれた。ご飯作ってくれて、一緒に食べてくれて、うちのとなりに布団敷いて寝てくれたとよ。

浩二　町子は約束守ったんだよ。

伸子　約束？

浩二　僕が医科大学卒業したら結婚しよう。僕は君を幸せにする。だけど覚えておいてくれ。僕は母さんが大好きだ。君と同じくらい、いや、ひょっとしたら君以上に母さんが大好きだ。だから君も母さんを大事にしてくれ。よか？　約束やけんね。

伸子　嘘臭かあ！

浩二　嘘じゃなかよ。

伸子　医者んなったら、町子と二人でこの家出ていこうって思っとったくせに。

浩二　そげんことなか。

伸子　医科大学に合格して、本家に挨拶に行った時、あんた、本家のおじさんになんて言うたか覚えとる？

浩二　覚えとらん。

伸子　「一生懸命勉強してよか成績取って博士になってうんと研究してノーベル賞ば取らんば」って言われて「僕はノーベル賞なんか興味ありません」ってムキんなって。「長崎は日本一島の多か県で、医者のおらん島が山ほどある。そんな離島の医者になって貧しか人のために身を粉にして働く。そいが僕の理想です」って大見得切ったじゃなかかね。

浩二　そげんことあったかなあ。

伸子　「理想で飯の食えっとか！」っておじさんが怒って。「貧乏人相手ん医者にすっために学費ば出してやっとるとじゃなか！」そこでうちの出番よ。「すいません、うちの躾が悪かけんこげんわがままな息子に育ってしまいました。うちが悪かとです。どうかお許し下さい」。

浩二　頭下げながら舌出したやろ。ぺろって。

伸子　あら、ばれた？

浩二　あたりまえたい。

伸子　とにかく、あんたの理想は離島のお医者ってことやろ？　町子と二人で。

浩二　うん。

伸子　そん理想をバイオリン協奏曲に乗せて、町子に熱く語ったとやろ？　手ぇば握りながら。

浩二　手は握らんかったばい。

伸子　じゃあ、うちはどうなると？　あんたが、世界で、一番大好きな、この母さんは？

浩二　……もちろん、一緒にいくとさ。

伸子　あら、お邪魔やなかと？

二人、笑いあう。

短い間。

伸子　「あきらめよう」って、うちが言うたとよ。もう三月も前に「あきらめよう」って。「そげんことできません」って町子は泣いた。

浩二　うん。

伸子　「浩二さんを忘れるなんてできません。うちはこのまま、浩二さんのことを思いながら、一生静かに生きて行きます」。

浩二　さすが、町子、って思ったよ。

伸子　でもうちは言うた。「そいば聴いて浩二は喜ぶやろか？」。
浩二　喜んだけどなあ。
伸子　……。
浩二　……喜ばん！
伸子　うん。「ねえ、町子さん。あんたはいつまでも私や浩二に義理立てせんでもよか。いつかはよか人ば見つけてしあわせにならんば」。
浩二　つらかね、母さん。
伸子　あれから三年経っとるとよ。女学生だった町子は小学校のきれいかオナゴ先生になっとるとよ。このままでよかはずはなか。
浩二　つらかね。
伸子　つらかとはあんたのほうやろ。
浩二　僕のことは気にせんでよか。しあわせは生きとる人間のためにあるとやけん。
伸子　でも、「ご冥福をお祈りします」って言うたいね。
浩二　関係なか。うちはクリスチャンやし。

伸子、笑う。

浩二　母さんはなして助産婦になったと？
伸子　なんね、藪から棒に。
浩二　聞いたことなかったけん。聞いてみたかったと。
伸子　今はよさん？
浩二　聞かせて。母さんはなして助産婦になったと？
伸子　……そりゃ、浦上のおばあちゃんが助産婦やったけん。
浩二　ああ。
伸子　おばあちゃんはすごか助産婦やった。まだあの頃は産婆って言いよったけどね。五十年やって、町内中の子供、全部取り上げたばい。上は五十から下は新生児まで。
浩二　すごか。
伸子　教会の行事とか町内の祝い事じゃ、町会長さんの隣に座らされとった。そりゃそうさ。町会長さんもおばあちゃんに取り上げてもらったとやけん。
浩二　Great Mother やね。
伸子　なんねそれ？
浩二　ファミリーっていうか、地域全体の偉大なる母親。地母神、母なる神。

伸子　マリア様みたいなもんね？
浩二　そうかもね。
伸子　おじいちゃんが大陸に渡っとったけん、おばあちゃんが浦上の家で開業して、うちときょうだいを育ててくれたとよ。きょうだいっていうのは、シンおじちゃんとマコおばちゃんね。
浩二　うん。
伸子　うちは小さい頃からおばあちゃんに言われて、お手伝いしよった。
浩二　お手伝い？
伸子　鞄の重かけん持っててちょうだい、って言われて。お産のある家についていって、あとはそこで見とって、って。最初っから跡継ぎにするつもりやったとやろうね。
浩二　策士やなあ。
伸子　赤ちゃんが産道を通って出てくる時、出口に手をあてて圧力を調整するとよ。母体ば守るために。
浩二　だいたいわかる。産科の講義も受けとっけん。
伸子　難しかとよ。上手にやらんと、会陰ば傷つけてしまうけん。
浩二　うん。

伸子　手ば研ぎ澄まさんば、っておばあちゃん言《ゆ》うとった。感じ、守り、安心させ、生ましめる。

浩二　感じ、守り、安心させ、生ましめる。

伸子　実際、産婆学校で習ったことより、おばあちゃんの仕事見て覚えたことの方が多かったけん。

浩二　産婆学校は長崎の？

伸子　そう。長崎産婆学校を大正七年に卒業して、正式におばあちゃんの助手になって働いたと。忙しかったなあ。あの頃は本当に。ひと月三十件とか普通やったけん。

浩二　つまり毎日ってことね。

伸子　特に浦上は農家が多くて、しかもクリスチャン。避妊の出来んけん。

浩二　「生めよ、ふえよ、地に満ちよ、地を従わせよ」……創世記やね。

伸子　あの頃は八人目とか九人目とか普通やった。もう、どしどし生んで増やしとったけん。

浩二　神様は偉大やね。

伸子　いや、神様は無責任たい。とても養えんとよ。七人目くらいで「もうこのへんにしといたらよかじゃなかね？」とか言われて。それで女の子だったら「すえ」とか

浩二　「とめ」とか「すて」って名前つけると。もう、子供は要りません、ってこと。

伸子　女の子だけ？

浩二　男の子は少しくらい多くても働き手になるたい。それに、戦争行くし。

伸子　……僕は召集猶予のあったけどね。

浩二　マコおばちゃんとこのケン兄はビルマで戦死したとよ。

伸子　そう。

浩二　骨のひとかけらも帰ってこんかったと。

伸子　僕、ケン兄に言われたとよ。出征前に。「大学に入っても文科に進んだら俺みたいに戦争に取られる。オマエは医科大学を狙え。医学生は戦争に取られん。オマエはおいと違って一人っ子や。母のこと、守らんば」。

伸子　それであんた、長崎医大に？

浩二　ま、それだけじゃなかけどね。

伸子　医科大学なら召集猶予やし、卒業して召集されても軍医なら戦死することはなか。

浩二　そう思っとったとけど。

伸子　結局、同じ事やったね。

伸子　そうね。

浩二　しょんなか。そいが僕の運命さ。

伸子　運命？

浩二　そうやろ。

伸子　うちはそうは思わん。台風や津波は防ぎようのなかけん運命やけど、そうじゃなかでしょ。おばあちゃんば看護してくれた女子修道会のシスターは「神の摂理です」って言うておられた。だけど、まさか。まさかそんなはずはなか。あれは、人間の仕業たい。

浩二　……。

雨が降り始める。

伸子　あら、雨。

浩二　ホントだ。

伸子　降りそうな雲行きじゃなかったとけどね。

浩二　長崎は雨の街やけん。

伸子　あんたがおねしょして大騒ぎしたとは、小学校四年生の時やったかね。

浩二　なしてその話？

伸子　しかもうちの布団に。あんたは、いつまでもうちと一緒に寝たがっとったけん。

浩二　なして、いつまでん寝小便したとやろ。僕は。

伸子　あん時も雨ん続いて、布団の乾かんで難儀したとよ。

浩二　母さん、なして怒らんかったの？

伸子　さあ、なんでやろ。

浩二　そいで僕はどんだけ救われたかわからんよ。もう恥ずかしゅうして恥ずかしゅうして、そいを更に怒られたら死んでしまいたいくらいさ。だけん、僕たちの子供が寝小便しても絶対叱らんようにしようって、町子と話したことあるとよ。

伸子　そんな話までしよったと？

浩二　ああ。

伸子　メンデルスゾーンば聴きながら？

浩二　まあ、そうかな。

伸子　手ぇば握りながら？

浩二　手は握らんかったばい。……どんな結婚式にするかっていう相談もしたな。

伸子　どんな結婚式にすると？

浩二　式は浦上天主堂。仲人は解剖学の川上先生。問題は服装なんだけど、戦時中やけん僕は野暮ったいカーキ色の服で我慢する。だけど、町子。君にはどうしても着せてやりたか。映画に出てくるような真っ白なレースの、ウェディングドレス。音楽はもちろんメンデルスゾーン。♪たたたたーん、たたたたーん、たたたたんたたたたん、たたたたんたたたたんたたたた、たーんたーんたたんたんたんたん……

浩二、立ち上がって指揮者のような手振りでメンデルスゾーンの結婚行進曲を朗唱する。伸子は切なくなってくる。

伸子　……。
浩二　ちゃんと見とったよ。……町子が、男ば連れてきよった。
伸子　黒田先生。町子の小学校の同僚やって。
浩二　先月やろ。
伸子　そんな前やったかね。昨日のことんごたる。
浩二　ツラぁ見せたら呪い殺してやる、って思っとったとよ。
伸子　あんたそんなことできると?

浩二　わからんけど。そしたら、そいつ、松葉杖ついとるやなか。

伸子　ご苦労なさった方なのよ。お母様と妹さんを原爆で亡くされて、ご自分も戦場で片足を無くされて。

浩二　僕のことを知ってるか母さんが尋ねて、「はい。町子さんから伺っています」。か―、なんね「町子さん」って！

伸子　「浩二に会って下さい」ってうちは言った。

浩二　そしたらそいつ、そこの上がり框に松葉杖置いて、両手と片足ば使って、よっこいしょ、って腰掛けて、そしたら、片方だけ履いとる靴の紐ば、町子が甲斐甲斐しくほどきよるとよ。

伸子　黒田さんはそこ（香台の前）に座って、あんたに手を合わせてくれた。

浩二　母さん、泣いとった。

伸子　うん。

浩二　「浩二も喜びます」ってなんね？　喜べん。これはさすがに。

伸子　そう言うしかなか。町子はしあわせにならんば。

浩二　式はいつ？

伸子　さあ、まだお知らせは来んけど。

浩二　知らせんとじゃなか？　母さんには。

伸子　町子はそげんな子じゃなか。うち言うたとよ、町子に。「おめでとう。うちもうれしか」って。「あんたはうちの娘ばい。ずっとそう思ってきた。娘を嫁に出して嬉しゅうなか母親のどこにおるとね」。

浩二　……立派すぎるよ。

伸子　そげんことなか。

浩二　……。

伸子　つらかとはあんたのほうやろ。

浩二　さっきも言うたやろ。しあわせは生きとる人間のためにあるとやけん。

雨は降り続いている。

浩二　……続き、聞かせてよ。助産婦の話。

伸子　もう、よかじゃなかかね。

浩二　聞かせてよ。

伸子　気が進まんとよ。

浩二　聞きたいんだ。聞かせてよ。おばあちゃんの助手になってから、どうしたと？　どうしたと？

伸子　……二年くらいしてから山口医院に勤めたとよ。眼鏡橋の近くの。

浩二　うん。

伸子　病院勤務もしといた方がよか、っておばあちゃんが。最新式の産科医学も仕入れとけ、って。

浩二　なるほど。

伸子　その病院にお父さんが働いとったと。事務員として。

浩二　そう。

伸子　そいで、結婚して退職して、この家を建てて貰うて。そうこうしているうちにあんたのお兄ちゃんが生まれて。だけど、半年で死んで。その後であんたが生まれたと。

浩二　うん。

伸子　お父さんが結核で亡くなった時、あんたはまだ二歳やった。浦上の実家に戻ろうかって思ったとけど、思い切ってここで開業したと。昭和五年かな。目の前に長崎湾が広がって、正面に稲佐山。西に東シナ海。とても見晴らしの良うして。お父さんも気に入っとったけん。

浩二　僕も大好きばい。
伸子　「母さん、母さん」って、何事かと思ったら「ほら、見んね。夕日がきれいか」って。なんね、いちいち、大声出して。
浩二　だって、ここから見る夕日は世界一やっけん。
伸子　そうね。

短い間。

浩二　でも、不安やったろ。浦上とはだいぶ離れとるけん。
伸子　金比羅山挟んで、マチのこっち側やから。だけん、あんたが長崎医科大学に合格した時、おばあちゃん喜んどったとよ。
浩二　喜んどったなあ。「孫が浦上に戻ってきた。ご先祖様のお導きばい」って。
伸子　そうね。
浩二　思い出すなあ。おばあちゃんの浦上そぼろ。
伸子　得意料理やったけんね。
浩二　大学の帰り、よくおばあちゃん家に寄ってごちそうになっとった。

伸子　そんなことしよったと？

浩二　ひと月にいっぺんくらいかな。

伸子　食べさせてあげたかけど、材料の手に入らんもんばっかりばい。

浩二　こんにゃく、タケノコ、ゴボウ、もやし。

伸子　しかも豚肉。

浩二　夢のまた夢。

伸子　ごめんね。

浩二　母さんと中華街でちゃんぽん食べたことあったなあ。

伸子　いつ？

浩二　僕が、スパイ容疑で捕まった時。

伸子　ああ。

浩二　外国のレコード持ってただけで捕まるとか、ラジオ聴いて捕まるとか、噂はあったと。だけど、まさか僕が捕まるなんて。

伸子　ホント腹ン立った。あん時は。

浩二　玄関にいきなり憲兵が来て。「貴様が福原浩二か。スパイ容疑で逮捕するっ！」。連れて行かれてぽかぽか殴られて。「なんで僕がスパイなんですか？」「黙れっ！　耶

伸子　蘇のくせに！」「クリスチャンは関係なかでしょ！」「問答無用！」ぽかあ！　ぽかあ！　って。もう、死んだ、って思うた。

隣の富江さんからあんたが連れていかれた、って聞いて。すぐに憲兵隊に行って「うちの息子がなんばしたとですか」って聞いたら「運動会を写した写真に高射砲陣地が写っとった。現像を頼んだ写真屋で発見した」「じゃあ、その写真、見せて下さい」って無理矢理見せてもろうたら十六枚のピンボケ写真の一枚の隅っこにボケボケでちょこーっと写っとるだけじゃなかね。

浩二　ボケボケで悪かったね。

伸子　もう我慢できん。こん下っ端と話しても仕方んなか。「司令官室はどこですかッ！」って押しかけたとばい。

浩二　すごかね、母さん。

伸子　「本当にスパイだったら、こんな一枚じゃなく何枚も何枚もはっきりと陣地を写すはずでしょ？　うちの息子はスパイなんかじゃありません。お国の役に立とうと一生懸命勉強してる天皇陛下の赤子《せきし》です！」そう言うたら司令官が笑って「わかりました。あんたに免じて息子さんを釈放しましょう」。

浩二　その帰りたい。「厄払いせんば」ってちゃんぽん食べに行って。そしたら母さん泣

伸子 き出して。鼻水すすりながらちゃんぽんの汁すすって。そうかと思うたら「あの憲兵、ほんっとに腹の立つ」ってぶんぶん怒り出して。「泣くか、食べるか、怒るか、どれか一つにせんね」って言ったら「黙らんね！　誰《だい》のためにうちがこんなに苦労したと思うとね！」って、今度は笑い出して。

浩二 いっぱいいっぱいいやったけんね。

伸子 「もうお腹いっぱい。うちの分も食べんね」って。頂きましたよ。母さんの鼻水入りのちゃんぽん。

浩二 嫌なら食べんでよかったとに。

伸子 いや、おいしかったよ。ホントに。

浩二 あんた、なんか食べたかとか飲みたかとか、今でも思うと？

伸子 思うよ。

浩二 そう。

伸子 母さんの作ってくれる陰膳、うまかごたー。でも、僕は生きてる人間じゃなかけん。かえってつらか思いばさせてしもうたやろか。

浩二 そんなことなか。気持ちの嬉しか。気持ちで口いっぱいに唾の出て、気持ちでお腹いっぱいになるとよ。

伸子　いま、何がいちばん食べたか？

浩二　おむすび。とろろ昆布のまぶしたやつ。

伸子　あんなもんが？

浩二　小学校の運動会の昼休み、みんなが弁当開くやろ？　母さんのおむすびが一番格好よかとさ。正三角形で角がビシッと立っとって、見るからに旨そうでさ。

伸子　練習したとよ。娘んとき。

伸子、おむすびを作る手振り。

伸子　ごまと塩を乗せて炊きたてのご飯を、こう握ると、熱くて熱くて手が真っ赤になると。「ほら飯粒の落ちとる」て、おばあちゃんに怒られてね。

浩二　へえ。

伸子　見よう見まねでようやく上手に三角に握れるようになって、女らしさば一つ身につけたような気ィのしたっさね。

浩二　おばあちゃん直伝か。

伸子　でも、おむすびにとろろ昆布まぶすとはうちが工夫したとよ。

浩二　あっつあつのご飯によく合う！
伸子　そう。
浩二　冷めてもうまか！
伸子　そうそう。
浩二　ああ、なんか、猛烈に食いとうなった！
伸子　……作ってあげたかけど、お米のなかとよ。
浩二　そうか。
伸子　戦時中はまだ配給が少しはあったとけどね。
浩二　夢のまた夢の、また夢だねえ。

伸子、急に立ち上がって、台所に行く。

浩二　どうしたと？
伸子　ちょっと待っとって。

伸子、空の米びつから米を取り、おむすびを握り始める仕草をする。

伸子　♪おむすび、おむすび、おむすび、だいすき、こーちゃんのおむすび……

と、鼻歌を歌いながら。塩の入った壺も出す。

浩二　さすが、いい手つきやね。
伸子　そやろ。
浩二　その大きさが絶妙たい。
伸子　そやろ。
浩二　ちょうど、こう、一口、二口、三口で食べられる。考え抜かれとる。合理的ばい。
伸子　そやろ。
浩二　母さんが運動会に来てくれると嬉しかったとよ。友達みんな言うけん。浩二の母ちゃんは美人やねえ、って。僕、鼻の高かったとよ。
伸子　またまた。
浩二　本当さ。母さんは本当に……美人、やけん。
伸子　死んだら口が巧くなったとね。

浩二　お世辞と違うばい。母さんみたいにきれいかひと、この世におらん。いや、あの世にもおらん。

伸子　……昆布多くしてあげるけんね。

浩二　やったあ！

伸子　んもう、お味噌汁も作っちゃう。

浩二　ほんと？

伸子　あんたの好きな具だくさんの。

浩二　死ぬほど食べたかったばい！

伸子　もう死んどるたい。

浩二　忘れとった！

伸子　♪みそしる、みそしる、おみそしる、だいすき、こーちゃんのおみそしる……

伸子、鼻歌を歌いながら空の鍋をかき混ぜて味噌汁を作り、汁椀に見えない味噌汁を注ぐ。

伸子　できたよ。

浩二　おお。湯気の立っとる！

仲子、お盆の上に皿と汁椀と箸を乗せて持ってくる。

仲子　さ、召し上がれ。

浩二　（食前のお祈りする）主よ、願わくば我らを祝し、また主のお恵みによりて我らの食せんとするこの賜物を祝したまえ、アーメン。……いただきます！

浩二、見えないおむすびをほおばる。

浩二　うまか……うまかあ……。ぴっかぴかの米粒のはじけとる！　炊きたてばい！　炊きたての奇跡ばい！　この昆布の絶妙な、品のある塩加減。オーケストラのアンサンブルのごたる。ウィーン交響楽団に匹敵するよ。

浩二、今度は見えない味噌汁をすする。

浩二　ああ、母さんの味！　島原の麦味噌？　長崎の米味噌？　いいやさては両方入っとる？　しかもしかもしかも、僕の好きなお茄子、ちゃーんと入っとる。っていうか、お茄子で汁の埋まっとる！

伸子　つい入れ過ぎちゃった。愛情たい。

浩二　よかよか。大歓迎ばい。

と、一口飲む。

浩二　ああ、ほの甘くて、やわらかくて、やさしくて、ほんと母さんの味！　うまかあ！

浩二、感極まっている。

伸子　馬鹿ね。こん子は。おおげさか。

浩二　だって、夢んごたあ。

伸子　うちの方こそ夢んごたる。

浩二、しばらく無心で食べる。やがて食べ終わる。

浩二 ごちそうさまでした。おいしかった。……あー。

浩二、深く充足した息をつく。

伸子 あんたこのまま「もう、思い残すことはなか」とか言うて、消えてしまうとじゃなかと？

浩二 消えんよ。

伸子 よかった。

短い間。

浩二 話の続きば聞かせてくれん？

伸子 ……もう、よかやろ。

浩二 防空壕の中でお産ばさせたこと、あったよね？

伸子　……あった。

浩二　造船所の近くやっけ。

伸子　あの頃は、Ｂ２９がしょっちゅう飛んできよった。空襲警報が鳴って近くの防空壕に飛び込んだら、妊婦さんのおらして、急に産気づいて。急なことやけん何もなかでしょ。

浩二　うん。

伸子　防空壕の中は真っ暗たい。そいでも陣痛は来よる。

浩二　うん。

伸子　妊婦さんの手ば握って。大丈夫、大丈夫って励ましながらお腹さすって。

浩二　うん。

伸子　ただの気休めなんよ。

浩二　そうなの。

伸子　あん時のうちには何《なん》もできんかった。何《なん》もできんくても、気休めでんよか。できることはなんでもやる。そいが助産婦たい。

浩二　結局、どうなったと？

伸子　防空壕の中でじっと外の様子伺って、空襲のまばらになった瞬間ば狙《ねろ》うて、そこの

浩二　家のおじいちゃんとお兄ちゃんに走って貰ったと。ばーっとどっか近くの家の台所に行って薪をくべてお湯を沸かして、持ってきて貰うた。

伸子　総力戦たい。

浩二　産まれた時は、そこの家族も全員、隣の家族も、産まれたばい！　って叫んどった。防空壕の中で。

伸子　家族全員なあ。

浩二　そう。四ヶ月か五ヶ月の時に行く初回の検診で、家族全員にお腹ば触らせとった。

伸子　なんのために？

浩二　家族全員で産むってこと。

伸子　家族全員で産む？

浩二　だけん、前もってお産の時の係ば決めておくとさ。お湯ば沸かす係、汗ば拭く係、おにぎりば食べさせる係、賛美歌ば歌って励ます係。

伸子　事前の打ち合わせが大事かとやね。

浩二　様子を知るためには何度でん足を運ぶ。赤ちゃんの様子見て、脈とって。上ん子供のこととか、姑様のこととか、ゆったり話聞いてあげるの。とにかく、妊婦を大切に。自分の娘だと思って。

浩二　そいでわかった。
伸子　なんが。
浩二　母さん、明日はお産だっていう日に、畳の上に七つ道具並べるやろ。
伸子　……。
浩二　で、一つ一つ確認しながら鞄に入れるやろ。「コッヘル、クレンメ、臍帯剪刀、ラバーシーツ……」。
伸子　あんた、寂しそうに眺めとったね。その、階段ん所に隠れて。うちがお産で出掛けるとひとりでお留守番やけん。申し訳ないと思っとったよ。
浩二　そげんこと言いたかっじゃなか。
伸子　……。
浩二　「呼びに来とらんとに、なんで明日お産のあるってわかると?」って訊いたことがあった。小学校ん時かな。覚えとる?
伸子　覚えとるよ。
浩二　「さあ、なんでかな」って、母さんは笑っとったけど、今わかった。そいだけの手間と愛情ばかけとるけんさ。やっぱり母さんはすごか人ばい。
伸子　……。

浩二　母さんは僕の誇りばい。
伸子　……あんた、何《なん》が言いたかと？
浩二　七つ道具は？
伸子　え？
浩二　七つ道具の入った鞄はどこね？
伸子　……奥にしまったって言うたやろ。
浩二　なして？
伸子　なしてでも、よかやろ。
浩二　出してみん？
伸子　出さん。
浩二　なして？
伸子　出さんもんは出さん。
浩二　だから、なして？
伸子　……。
浩二　「妊婦さんの家でごちそうしてもろうとる」って嘘やろ？
伸子　……。

浩二　もうひと月もしとらんやろ。助産婦。呼びに来てもみんな断って。看板も降ろしてしもうて。……なして？

伸子　あんたには関係なか。

浩二　僕ね、母さんが七つ道具並べるとこ見るの、好きやったよ。

伸子　……。

浩二　あんまり真剣で話しかけられんかったけど、そんな母さんが子供心に、眩しかった。そりゃ、お留守番は、寂しかったよ。ばってん、なんか、誇らしかった。

伸子　……。

浩二　医者になりたかって思ったとは母さんば見とったけんたい。母さんみたいに、人の命に関わる仕事がしたかって。

伸子　……。

浩二　信じられんとよ。なして、辞めてしまったと？

伸子、立ち上がって窓際に。

伸子　……嫌気のさしたとよ。

浩二　嫌気？

伸子　この七月、呼ばれたと。長崎医科大学附属第一医院の、国立予防衛生研究所っていうところから。あんたのおった長崎医科大学なら間違いなかやろうって思って、出掛けたとさ。長崎市内の助産婦がほとんど集まっとった。講堂に。

浩二　うん。

伸子　なんとか言う、アメリカのきれいか看護婦さんのお話しのあった。アメリカの公衆衛生がなんとか、かんとか。

浩二　うん。

伸子　その後で白衣を着た日本人が出てきて言うた。「長崎で産まれる全ての新生児を対象に大規模な調査を実施します。長崎市内の助産婦は必ず協力して下さい」。

浩二　協力？

伸子　「担当する妊婦の妊娠期間、性別、出生体重、親の氏名や住所を用紙に記入すること。無論、タダでとは言いません。一通の報告につき二十円出します」……ここまでは、まあ、よかったつさ。

浩二　……。

伸子　「なんのために新生児ば調べよるとですか？」誰かが聞いた。「人類の未来のためです」白衣が答えよった。

浩二　人類の未来……。

伸子　「出産した家庭に調査員を連れて行ったら五十円のボーナス。異常出産の場合は更に五十円のボーナスを出します」

浩二　……。

伸子　「異常出産ってどういうことね？」ってうちは聞いた。そしたら白衣はこう答えよった。「流産、早産など、すべての異常出産について報告してください。どんな小さなあざも見逃してはなりません。奇形児ならば、なお興味深いです」。……興味深い？　……興味深い、って何《なん》ね？　一体。

浩二　……。

伸子　ピカにおうた女性はただでさえ不安になっとる。同じ長崎でも白い目で見られよる。自分はもう一生結婚できん。一生子供の産めんとじゃなかやろか。産んだとしてもまともな子は産めん。そう言われて、胸のつぶれそうになって。「でも、聞いてちょうだい。丈夫な子供のたくさん産まれとるとよ。ピカで大火傷して、生きるか死ぬかの瀬戸際ばくぐり抜けて、それでも立派な、大きな子供を産んだお母さんが何人もおるとよ。だから大丈夫。心配せんでもよか。おかしな噂は気にせんでよか。

うちがついとるけん」。こう言うて、若い妊婦の手ば握って、励ましてきた。それを「奇形児ならば、興味深い」って、なんね。

浩二 ……。

伸子 あんたら長崎医科大学附属第一医院の、研究所なんやろ？　誰《だい》かが聞いた。そしたら、「厳密には違います。原爆傷害調査委員会です。ＡＢＣＣと呼ばれています」。……は！　人ば馬鹿にしとる。ＡＢＣＣ？　アメリカばい。ＧＨＱばい。ガムかみながら大勢でジープで乗り付けて、被爆者ばジープに乗せて連れて行く連中よ。大勢の前で、包帯も全部取らされて、むごか傷ば晒されて、下着も全部脱がされた女の子もおる。被爆者は貴重な標本やけんわざと治療もせん、薬もやらんでそのまま放り出す。そういう連中が、こんどは新生児ば標本にしようとしとる。

浩二 それで、やめたと？

伸子 ……。

浩二 でも、そいでよかとね？　……町内中の子供取り上げたとは、おばあちゃんだけじゃなかやろ。この町内の二十歳にならん子供は全部母さんが取り上げたとじゃなかと？　母さんだって、Great Mother ばい。辞めてしもうてよかと？

伸子 ……浦上のおばあちゃんがどうなったか、聞かせてやるたい。

浩二　……。

伸子　浦上は見渡す限りの焼け野原で、家も畑も何にも残っとらんかった。おばあちゃんは浦上第一病院に運ばれとった。病院、っていうか、柱と壁だけ残った病院の焼け跡たい。おばあちゃんは筵を引いた廊下に寝かされとった。声ば掛けるとうちに気づいて。「おまえからもお医者さまに頼んでくれんね、手だけは切らんでくれんね、って」……ひどか怪我すると、腕ば切断せんばいけんって、どこかで聞いとったとやろね。見れば手どころじゃなか。顔も、胸も、足も、目も当てられん火傷なのに。「手だけは切らんでくれんね」って。「せめて右手だけ。右手だけでも残してくれれば産婆はでくっ。右手だけは残してくれんね」……おばあちゃんはその後、三月頑張って、息ば引き取った。どうにか生き残っとったシンおじちゃん夫婦と、どうやって弔いばするか話し始めたときやった。あいつらが来たとは。

浩二　……あいつら？

伸子　真っ白かシャツば着たアメリカ人の背ェの高か男が、出っ歯の小男に通訳させた。「遺体を解剖させて欲しい」。何のためですか？「人類の未来のため役立てますから」。

浩二　……。

伸子　馬鹿言うな！　うちは怒った。出て行け！　二度とツラば見せるな！　でも、シンおじちゃんは、結局その男の言うことば聞いた。「葬式代も十分に出させて貰います」……こう言われたと。仕方んなかったとやろ。長男としては。……帰ってきた亡骸は、ボロボロに刻まれとった。両腕が無《の》うなっとった。何が人類の未来ね。……うちを育ててくれた、うちにおむすびの握り方を教えてくれた、うちに生きる術を教えてくれた、うちのコーちゃんを取り上げてくれた、あん手を、ホルマリンに漬けて、瓶詰めにしてアメリカに送ったとよ、あん畜生が！

浩二　……。

短い間。

伸子　おばあちゃんの弔いが終わってすぐ、喪主を務めたシンおじちゃんも血を吐いて、紫の斑点が全身に出来て死んだ。そのつれあいもひと月もたたんうちに髪の毛の抜けて歯茎から血ィを出して、紫色になって死んだ。看護ばしてくれとった病院の看護婦さんも同じように死んだ。紫色の斑点の出たら、助からん。いつ出るかわからん。でも、出たら助からん。

浩二　……。

伸子　アメリカのなんとかっていう軍の偉い人が、原爆落ちた年の暮れにこう言うたげな。「広島と長崎にはこの先七十五年、草木も生えないという噂がありました。でも、それはアメリカのネバダ砂漠で行われた原爆実験によるデータです。モルモットや、白鼠や、ショウジョウバエで得られたデータです。人間は違う。死ぬべき者は既にすべて死に絶えた。これからは何の危険もありません」……よう言うさ。ピカの毒は一生消えん。いまも、これからも、死に続けるとよ。

伸子、窓に近づく。雨はいつの間にか止んでいる。
夕日はいよいよ赤い。

伸子　……あんたがこの世で一番きれかって言うとった夕日が、いまは怖か。

浩二　……。

伸子　コーちゃん、なんでよ。なんで……。なんで死んだの？

浩二　……。

伸子　あんたがおらんごとになって、まる二年は夢を見んかった。二年目の八月九日の、

浩二　墓参りに行った夜、急にあんたの夢ば見た。最初はあんたの産まれた日。「男の子ばい。元気な男の子。ほら見んね」おばあちゃんがあんたを取り上げて、「わしは幸せもんたい。自分の孫ば取り上げて」って笑って。お父さんが喜んで、親戚集めて、お酒飲んで踊って。そいから毎晩あんたの夢。夢ん中のあんたは少しずつ大きゅうなる。おっぱい飲んで、はいはいして、両足で立って、歯が生えて、「おかあさん」ってうちば呼んで。同じ夢は見らんと。はしかで熱出して、小学校に入学して、夏は蝉取り、秋は芋掘り。小学校卒業して、寝小便も卒業した。特別な場面なんかなかと。あんたはこん家ん中で普通に生活しとる。山口の高等学校に合格して、荷物まとめて寮に入って、文化祭で踊って、長崎医科大学に合格して、お赤飯炊いて、また毎朝家から通うようになって。そんな様子をうちは眺めとる。「あんたもうすぐおらんごとなるとに」。そう思いながら、ぼんやり眺めとる。「母さん、行ってきます」、なんね、いい年して、大声出して。「母さん、ただいま」。お帰りなさい。今日は何が食べたか？　……一年続いたとよ。そん夢。

伸子　……母さん、毎朝、目の覚めるたびに泣いとったけん、そうじゃなかかって思うとった。

そいで今日ばい。明け方ばい。ちょうど三年前の、あの日の朝の夢ば見たと。

空襲警報。

浩二　あの日は、朝の七時頃から空襲警報の鳴っとった。
伸子　「今日は危なかけん、家におったらよかやなか?」うちは言うた。
浩二　「心配なか。浦上はもう空襲されんやろ。畑と山ばっかりやけん」。
伸子　九時過ぎになって警報の止んで、あんたは洗濯物のシャツばうちに放り投げて、玄関に駆け出した。
浩二　「今から坂道駆け下りれば、九時十分の路面電車に乗るっばい」。
伸子　なして、うちはあんたば止めんかったとやろう?
浩二　「母さん、行ってきます!」。
伸子　なして、うちはあんたば止めんかったとやろう?
浩二　外は朝からよう晴れとって、隣ん家ん富江おばさんが庭先で洗濯物ば干しとった。
伸子　「おばさん、行ってきます!」。
伸子　なして、うちはあんたば止めんかったとやろう?
浩二　いつものように母さんが見送りに出てくれとった。その視線ば背中に感じながら、

伸子　僕は一気に坂道ば駆け下りた。

浩二　なして、うちはあんたば止めんかったとやろう？　……空襲警報が鳴っとったとに。

伸子　警報はとっくに止んどったやろ。

浩二　なして、うちはあんたば止めんかったとやろう？　……あんなに胸騒ぎのしとったとに。

伸子　あのご時世、胸騒ぎだけで外出止めとったら何《なん》もできんばい。

浩二　三菱兵器の茂里町工場で働いとった長崎県女の学生さんはあの日、十人くらいお休みしたとよ。空襲の続くけん行っちゃいけんってお家の人に言われて。

伸子　そげん人もおったかもしれんけどさ。

浩二　なのに、なんでうちは。

伸子　母さん。

浩二　うちのせいであんたは／

伸子　母さん、ってば。

浩二　あんたは浦上の血ィに呼ばれたとかもしれん。うちが浦上の出やけん。

伸子　それ以上言うたら怒るよ。

浩二　あんたは、苦しまんかったと？

浩二　……。

伸子　うちは、あんたが……どうやって死んだのか、知らん。

浩二　……川上先生の病理学論の講義中やった。

伸子　うん。

浩二　黒板に書かれた心臓の図と説明を、父さんの形見の万年筆でノートに書き写しよった。ドイツ語書いとると一人前の医者になったような気のするけん得意になっとったとよ。

伸子　うん。

浩二　遠くで飛行機の飛ぶ音のして、まさかBやなかやろうな、って思った瞬間、かっと光ってわけのわからんごとなった。

伸子　うん。

浩二　僕は潰されてしまったとよ。屋根やら天井やら柱やら、ありとあらゆるもんが落ちゃけてきて、頭を上げてあたりを見回す暇もなかった。みんな机に座ったまま埋まっとる。真っ暗闇の中でうめいとるヤツのおる。叫んどるヤツのおる。そのうちモノの焼ける匂いがして、煙が立ちこめてきた。近くで火の燃える音がする。誰かがどこかの高校の寮歌を歌いはじめた。肉の焼ける匂いがして、右の隣に首を回したら、東京モンの鈴木が、青白い炎を上げて、燃えとった。博多から来た遠藤も燃えとった。村上も、柴田も、金山も。……僕の燃える匂いはどげんやろ。そう思うたら、僕のつま先が燃えとった。

伸子 ……。

浩二の体に熱さが蘇る。

浩二 足首が燃えて、膝が燃えて、もう何《なん》も見えん。ただ熱か。腿が燃えて、腰が燃えて、もう何も聞こえん。でも熱か。もう匂いもせん。でも熱か。母さんのことば、考えた。熱か。母さんはどうしてるやろ。熱か。ごめんね、僕はここまでだ。熱か。母さん。熱か。もう一度だけ母さんに会いたか。熱か、熱か、熱か、熱か、熱か……。

伸子 コーちゃん!

伸子、台所に駆けていき、水瓶からコップに水を汲んで持ってくる。

伸子　飲んで！
浩二　飲めん、僕は飲めんと！

伸子、コップの水を飲み干し、空のコップに念を込めるようにしてから渡す。

伸子　飲んで！

浩二、空のコップを受け取り、ごくごくと飲み干す。
激しく息をつきながら、座り込む。

伸子　コーちゃん……。
浩二　……大丈夫。
伸子　あんた、苦しんだとね。
浩二　……きっと一瞬のことやったと思う。
伸子　ごめんね、ごめん。ごめん、ごめん……。あんたがそんなに……。

浩二　たくさんおるよ。僕より苦しんだ人は。僕よりつらく、僕よりずっと長く、苦しんだ人が、数えきれんほどおるよ。

伸子　……。

浩二　おばあちゃんも、シンおじちゃんも、マコおばちゃんも、すごく苦しんだっちゃなかと。

伸子　なして。なして、こげんことが。

浩二　だから、運命さ。

伸子　違う。断じて違う。こげん馬鹿なことは運命なんかじゃなか。こげん馬鹿なこと。

浩二　……。

伸子　おばあちゃんの看護ばしてくれた女子修道会のシスターたちも死んだ。親のなか子供たちば乳飲み子の頃から引き取って育てて、今度は入院しながら、看護の手伝いばしてくれよった。そげん素晴らしか人たちも毎日死んでいった。思わず言うてしもうたとよ。「よりによってなんであんたたちが?」そしたらにっこり笑って「神の摂理です」。そんな馬鹿な。「浦上んもんは諏訪神社ば拝まんけん罰の当たった、そう言う人もおるけど、そげんことはなか。浦上は神に感謝を捧げんばならん」……そう言ったシスターも翌朝には紫色になって死んだ。先祖代々、どがん目におうても神様ば信じ続けてきた人々が、なしてこげん苦しまんならん。なして？

浩二　……。

伸子　原爆ば落としたB29には神父様が乗っとらしたげな。広島か長崎かはわからん。……お祈りばしたとやろうね。「イエズス、マリア、ヨゼフ、心と精霊とを御手に託してたてまつる。我らが命じられた使命を行うとき、我らをお守りください。アーメン」……こう言うて原爆ば落としたっさ。浦上の、同じ神様ば信じる人たちの、頭の上に。

浩二　……。

伸子　こげん馬鹿なことのある？　こげん馬鹿なこと、神様はなぜお止めなさらんかった？　……神様はアメリカの味方ね？

浩二　まさか。

伸子　ならば答えは一つさ。おらんかったとよ。あの日の長崎の空に、神様は。……いや、最初からどこにもおいでにならんかったとかも知れん。そう考えんば説明のつかんことばかりたい。あんたが燃えてしまったとも、おばあちゃんがあげな目にあったとも、町子があんたば忘れて他の男と結婚したんも、みんな神様がおらんけんさ。……神様が、おらんけんさ。

浩二　……そげんこと言うたらいかん。

伸子　だって。

浩二　そいでね？　そいが助産婦辞めてしもうた本当の理由ね？

伸子　……うちの番が来たったい。

浩二、すべてを理解する。

浩二　なして病院行かん？

伸子　行っても無駄ばい。

浩二　そげんことなか。

伸子　もうよかよ。コーちゃん。

浩二　……。

伸子　わかっとると。あんたがなして、今になって出てきてくれたとか。

浩二　……。

伸子　迎えに来てくれたとやろ？　うちを。

浩二　……。

伸子　うれしかよ。これからはずっとあんたと一緒におれる。
浩二　……。
伸子　さ、連れて行って。
浩二　どこに。
伸子　時間も形もない、苦しみもない、光だけの世界があるとやろ？
浩二　……。
伸子　連れて行って。さ。
浩二　……連れて行くよ。
伸子　……うん。
浩二　でも、今じゃなか。
伸子　……。
浩二　「神様ってホントにおると？」って母さんに訊いたことある。覚えとる？
伸子　覚えとるよ。
浩二　「おるよ」って母さんは答えた。即答やった。「どこにおると？」って僕は食い下がった。……あの頃、僕は小学校でアーメン、ソーメンって馬鹿にされてて、耶蘇はおくんちにも精霊流しにも来んな、って言われて、いじけとったとよ。母さんは

伸子　真顔になって、僕ばじっと見て。「難しいことはようわからん。でも、神様はいつでも私たちのそばにおいでになる。いつも見守ってくださるとよ」。僕は納得できんかった。「見えんもんはわからんばい」。……母さん、にっこり笑ってこう言った。「うちはお産の時、赤ちゃんが産まれる時、ああ神様がおって下さる、って心の底から思えるとよ。命がひとつ、いま産まれる。こんな素晴らしかことが、神様の御業でなかはずのなか」。

浩二　……。

伸子　母さんには助産婦ば続けてほしか。

浩二　……そげん、無理なこと……。

伸子　無理じゃなか。

助産に行ったとよ。ABCCの集会で腹ば立てた、すぐあとのことさ。諏訪神社のすぐ近くの家やった。近くの助産婦さんが都合つかんで、それでうちが呼ばれたとよ。あのあたりは、同じ長崎なのに空襲もなかった。「原爆落ちた次の日に映画館の営業しよったばい」ってお姑さんが自慢しとった。三回目の事前検診に行った時、そのお姑さんに言われた。「あんた、その手はなんね」……そん時は自分でもまだ気づかんかった。腕のここに、小さな、紫の斑点のでき始めとったとよ。お姑さん

浩二　は、うちばじっと見て。そん時は何《なん》も言わんかった。後になって使いの来て、「もう来んでもよかです。他の助産婦ば頼みましたけん」。

伸子　……。

浩二　そりゃそうたい。仕方んなか。

伸子　偏見たい。伝染するもんじゃなかとに。

浩二　うちが妊婦さんのために置いていった南瓜と砂糖もその後で返しに来た。「ウチでは食べきれんですけん」。

伸子　無知が招いた偏見たい。

浩二　でも、可愛か孫ば、ピカの手で取り上げて欲しゅうなか。そう思っても無理はなかよ。

伸子　まちがっとる。

浩二　わかっとる。まちがっとる。でも、うちは思うた。もう、助産婦はできん。

伸子　……。

浩二　このまま、こん家で、あんたがお迎えに来っとばじっと待とう。そう決めたと。

伸子　紫色の斑点が消える人もおる。

浩二　ほんの一握りさ。

浩二　紫色の斑点が出ても死ぬとは限らん。助かる人もおる。
伸子　ほんの一握りさ。
浩二　ほんの一握りでも可能性があるんやったら病院行かんね！
伸子　行かん。
浩二　なして？
伸子　……もう、嫌っさ。あんたのおらんこん家に暮らすとが。もう、疲れてしもうたとよ。ひとりぼっちで、こん夕日を眺めるとが……つらかと。
浩二　……。
伸子　お願いよ。コーちゃん。連れて行って。あんたのいるところに、うちを連れて行ってよ……お願い……。

浩二、立ち上がる。

浩二　母さん、塩。
伸子　え？
浩二　（立ち上がって）塩はある、って言うとったね？

浩二、台所に行って塩を探す。

浩二　どこ？　……あった。（コップに塩と水を入れ、箸でかき混ぜながら）永井先生のビタミンＢ１・葡萄糖論治療法、影浦先生の柿の葉煎汁療法のビタミンＣ大量法、いろんな治療法があるけど、僕は秋月先生の塩分・ミネラル治療法が最も現実的やと思う。なんたって自分で試しとるけんね。

伸子　……。

浩二　レントゲン実習で具合の悪うなった時、「それはレントゲン・カーターだ。放射線に酔ったんだ。塩水を飲めば治る」って当の秋月先生に言われて、その通りけろっと治ったとよ。

浩二、コップを伸子に差し出す。

浩二　飲んで。

伸子　……。

浩二　生きとったら僕は今頃医者ばい。毎日人の命ば救うとるはずばい。さ、飲んで。

伸子　……気休めたい。

浩二　医者の言うことばきかんね。

伸子　気休めたい。

浩二　息子の頼みでも、聞けん？

伸子　気休めたい。

浩二　そげんことはわかっとる。気休めたい。治療効果もなにも実証されとらん。気休めたい。

伸子　……。

浩二　今の僕には何《なん》もできん。何《なん》もできん。でも、気休めでんよか。できることはなんでもやる。そう言うたとは母さんじゃなかね。

伸子　……。

浩二　僕は、母さんがうらやましか。

伸子　うちが？

浩二　やろうと思えば、いつでも、また命をとりあげることのできるやなかね。

伸子　……。

浩二　神様を信じられんでもよか。この僕のことは、信じてくれんね。

伸子　……。

浩二　僕のために、僕の代わりに生きてくれんね。……母さん！

伸子　……。

浩二　飲んで。……お願いさ。……飲んで。

伸子　……。

伸子、コップにおそるおそる口をつける。あまりの塩辛さに顔をしかめる。

伸子　しょっぱ！

浩二　あ。

伸子　しょっぱ過ぎて飲めん。

浩二　ごめん。

伸子　こげんと飲ましたら、あそこの先生はヤブ医者ばいって、誰《だい》も病院に来んごとなるばい。

浩二　つい入れ過ぎちゃった。愛情たい。

伸子　……。

仲子、コップの塩水をごくりと飲み干す。

伸子　（泣きながら）しょっぱか。しょっぱか。

浩二、にっこり微笑む。

浩二　明日、病院行くね？

伸子　……。

浩二　病院でしっかり検査して貰う。よかね？

伸子　……あんたの言うことは何でも聞くたい。

浩二　よし。

伸子　……望みは薄かやろうけど。

浩二　薄かろうが、厚かろうが、望みは望みたい。捨てたらいかん。

伸子　そのかわり、ひとつ条件のあると。

浩二　なんね？
伸子　ひとつだけ、お願い、聞いて欲しか。
浩二　だから、なんね？
伸子　ずっと、ここにおってちょうだい。
浩二　……。
伸子　このまま、ずっと。
浩二　……。
伸子　毎日顔を見せて。毎日お話しして。毎日うちば笑わせてちょうだい。
浩二　……。
伸子　お願い。
浩二　……母さん。
伸子　なんね？
浩二　僕は死んどるとよ。
伸子　そんなことはわかっとる。
浩二　だったら／
伸子　じゃあ、なんで出てきたと？　こうやって、ぬか喜びさせて。そいは、あんまり残

浩二　酷じゃなかと。またひとりぼっちにさせると？
伸子　誰《だい》がひとりぼっちね。
浩二　……。
伸子　……母さん。僕はどこにも行っとらん。ずっとここにおったとよ。死んでから、ずっと今の今まで。
浩二　……。
伸子　そう信じとったとは、母さんやなかね。
浩二　……。
伸子　これからも、ずっと一緒ばい。ずっと母さんのそばにいて、ずっと母さんを見守っとるとよ。
浩二　……。
伸子　僕だけじゃなか。父さんもおる。兄さんもおる。おばあちゃんもおる。シンおじちゃんも、マコおばちゃん、ケン兄もおる。誰《だい》がひとりぼっちね。
浩二　……。
伸子　そいだけやなか。あの日長崎で死んだ数え切れんほどの人たちが、みんなで母さんを見守っとるとよ。

伸子　……そいは、たいへんたい。
浩二　そやろ？　たいへんなことたい。
伸子　……コーちゃん。
浩二　わかってくれた？
伸子　……わからん。そげんこと、全然わからんよ。

浩二、にっこり笑う。

浩二　ありがたかけど、陰膳はもういらんばい。その分、たくさん食べんね。
伸子　コーちゃん、待って。
浩二　上海のおじさんにプロポーズばされてニコニコしてたこと、父さんには黙っとってやるけん。
伸子　ニ、ニコニコなんかしとらん。
浩二　しとったやなかね。
伸子　ちゃんとお断りしたばい。こら、聞いとるとね。
浩二　男の子ばい。

伸子　え？

浩二　町子の子供は男の子ばい。元気な男の子。

伸子　何《なん》言うとると？

浩二　母さんが取り上げると。はよう元気にならんば。

伸子　……。

浩二　一に静養、二に栄養ばい。忘れたらいけんよ。

伸子　コーちゃん。待って。コーちゃん！

暗転。

メンデルスゾーンのバイオリン協奏曲が流れる。

明るくなると、伸子は卓袱台に突っ伏して眠っている。

卓袱台の上には浩二の遺影。

伸子、目を覚ます。

どうやら蓄音機を掛けたまま眠ったようだ。

伸子　コーちゃん？　……コーちゃん？

あたりを探しても、無論、浩二はいない。
夢か、と落胆し、蓄音機を止める伸子。
しかし、卓袱台の上にはコップが。

伸子　あ。

伸子、残った水を飲んでみる。

伸子　しょっぱ。

伸子、微笑む。

伸子、卓袱台の上の遺影を取り、しみじみ眺めた後、香台に戻す。そして、感謝を込めて手を合わせる。

そして伸子は奥から大きな黒い鞄を持ってきて畳に置き、
七つ道具を取り出して並べはじめる。

音楽。

幕

映画脚本「母と暮せば」（山田洋次・平松恵美子）
小説「母と暮せば」（山田洋次・井上麻矢）
「長崎の鐘」（永井隆）ほかから一部引用しました。

了

映画『母と暮せば』と、演劇『母と暮せば』と。

山田洋次 YAMADA Yoji
×
井上麻矢 INOUE Maya
×
畑澤聖悟 HATASAWA Seigo

二〇二一年四月三十日(金)下北沢

それぞれにとってのちゃぶ台

山田　長い間、畑澤さんにお会いしたいなと思っていたんですよ。

畑澤　撮影現場に遊びにおいでと、おっしゃってくださっていたんですが、なかなかタイミングが合わなくて。今日は本当に光栄です。

井上　『母と暮せば』の戯曲を畑澤さんにお願いしたのは、現役の高校の先生として若い人と接しているという大きな理由がありました。現在や未来の若い人たちに戦争の記憶を引き継いでいこうという、そういう目線をお持ちだろうなと思って。

畑澤　栗山さん（演出の栗山民也さん）からも強く推して頂いたと伺いました。その節はありがとうございました（笑）。というか、二つ返事でお引き受けしたんですよ。「富田靖子キター！」とか無邪気に喜びました。ファンなので。でも、冷静に考えてみたら、あの名作映画の舞台化で、しかも二人芝居にするってんでしょ？　問答無用であの『父と暮せば』と比較されるってことですよね。とんでもないことです。ホイホイ引き受けてんじゃねえよバカ、ってな感じです。冷や汗をかきました。

井上　ちょうどいま、その『父と暮せば』の稽古中なんですけれども、やっぱり戯曲がすごくいいんですね。誰にでもわかる言葉で共感できる戯曲だとつくづく感じながら稽古しています。

山田　役者は誰ですか？

井上　山崎一さんと伊勢佳世さんです。今回この父娘の再演となります。でも本読みから感情が入り込んで、必ず演者さんが泣かれます。すごく小さな稽古場なんですけどもものすごい緊張感と、何て言うんでしょうか、広島の親子の姿をのぞき込んでいるみたいな気がします。稽古をしているというよりは、人の家庭をのぞいちゃってるような、そんな感覚。山田監督も特に車寅次郎家とか、真ん中にちゃぶ台があるような、そういう家庭の映画をたくさん撮られてきたじゃないですか。私たちはスクリーンを通してそこをのぞいているような感じ。

山田 お茶の間の芝居なんて、若い時は一番バカにしてたんだけどね（笑）。

畑澤 あら（笑）。

山田 黒澤明はそういうものは撮らない。僕らの青春時代は、小津安二郎の映画なんてどこがいいんだって思っていて。ちゃぶ台でご飯を食べたり、玄関で「お父さん行ってらっしゃい」って見

山田洋次（やまだ・ようじ）

映画監督。1931年大阪府生まれ。
幼少期を満洲で過ごす。
54年、東京大学法学部卒業後、松竹に入社。69年より「男はつらいよ」シリーズがスタート。そのほかの代表作に『家族』『故郷』『同胞』『幸福の黄色いハンカチ』『息子』『学校』『武士の一分』『母べえ』『家族はつらいよ』など多数。
2012年、『たそがれ清兵衛』で米国アカデミー賞外国語映画部門ノミネート、14年、『小さいおうち』でベルリン国際映画祭銀熊賞を受賞。12年、文化勲章受章。

送ったり、バカバカしいと思ってた。自分が監督になってもしばらく思ってたね。井上ひさしはちゃぶ台の芝居が多くて、その周りに人が集まって、そこから戦争や戦後を語っている劇作家でもあるんですよね。

井上 井上さんにおけるちゃぶ台と、僕みたいな松竹ホームドラマの伝統のなかで映画作りを学ぼうとしていた人間にとってのちゃぶ台では、ありかたが違うんだよな。お茶の間なんていうのは、僕にとっては呪うべき日常的世界だった。それが寅さんになると、ちゃぶ台が舞台みたいになった。いろんな人が出たり入ったり。気がついたらそういう井上ひさしさんに近い空間になっていた。寅さんがひとりで延々としゃべる独り語りのシーンは、ある意味では演劇的。

山田 演出の栗山民也さんは、ちゃぶ台を宇宙になぞらえています。地球も丸だし、丸いものの一番小さな単位がちゃぶ台だと。だから、「これをちゃぶ台だと思わないでくれ」と。宇宙の中のとても耐え難い記憶や忘れてはいけないことがここで起きているという、そういう意識を持てとおっしゃっていました。俳優さんたちはよく分かるみたいですね。ちゃぶ台だと思っていたものが、もっと大きな意味を持つのだと感覚的にわかるみたいです。

井上 ちゃぶ台がなくなったのは一九六〇年代かな。日本人の生活がリビング・ダイニングにあっという間に変わっていく。畳から床になっていく。

山田 大変おこがましいんですが、私が劇団「渡辺源四郎商店」に書き下ろす芝居の半分以上に、ちゃぶ台が出てくるんですよ。大きいちゃぶ台と小さいちゃぶ台が劇団にありまして、最多出演の大きいちゃぶ台は、うちの主演女優の名前で呼ばれています。「倉庫からユカコ持ってき

畑澤

て」みたいな感じで。

七月二八日、青森空襲

山田　明治元年が一八六八年だから、一九四五年の敗戦というのは、明治維新から現代のちょうど真ん中なんだってね。僕が少年時代の一九四五年には、明治維新で薩長が錦の御旗を立てて……なんて話は遠い遠い昔の物語だった。だから今の子どもたちも同じように、敗戦は遠い遠い昔なんだろうね。

畑澤　生徒たちに「戦争のこと知らないのか」って訊くと、「歴史苦手だもん」って言いますね。

井上麻矢（いのうえ・まや）

劇団「こまつ座」代表取締役社長。1967年、作家、劇作家の故・井上ひさしの三女として東京・柳橋に生まれる。文化学院高等部在学中に渡仏し、パリで語学学校と陶器の絵付け学校に通う。新聞社勤務などを経て、2009年4月こまつ座入社。2014年、市川市民芸術文化奨励賞受賞。著書に『夜中の電話――父・井上ひさし最後の言葉』（集英社インターナショナル、2015年）、『小説 母と暮せば』（山田洋次監督と共著、集英社、2015年）など。本作は『父と暮せば』『木の上の軍隊』とともに、こまつ座「戦後"命"の三部作」と呼ばれている。

山田　今や敗戦も昔の歴史だということですね。

井上　東日本大震災ももう一〇年前ですけれども、あのときの津波の映像が流れると、怖いから見たくない、気分が塞ぐから見たくないと言う若い人が多いです。そのはるか向こうにある戦争や敗戦は、別の世界のことのように思っているのかな。

山田　一九四五年の時点で明治維新が持っていた歴史的な意義と、いま七六年前の戦争が持っている意義とは全然違うわけだから、それだけ今の子どもたちにとって敗戦は近くなきゃいけないはずなんですよね。もっと近くないといけない。

畑澤　外国に出て行ったときに、たとえば八月六日が何の日か知らないというのは、日本人として恥ずかしいのではないでしょうか。青森の高校生も、卒業後には進学や就職で六~七割は他の地域へ行きます。その時に自分の街が空襲されて一〇〇〇人以上の人が死んだことを知らないのはおかしいから、自分の祖父母の頃にそういう悲劇があったことをちゃんと知ってから外に行けよって思いますね。どうして柳町通りに観音様が建っているのか。なぜ青森市役所の前に防空頭巾をかぶった石像があるのか。フィールドワークのようにその歴史を知るところから、僕たちの演劇が始まるんです。

山田　青森空襲はいつですか?

畑澤　七月二八日です。

山田　すぐに敗戦ですね。

畑澤　はい。硫黄島が占領されてから、仙台以北に爆撃機が飛べるようになったんですね。カーティス・ルメイが新兵器を導入して、空気に触れると自然発火する黄燐が含まれるM74焼夷弾が初めて使われました。

山田 その爆弾は、それまでの空襲では使われていなかった?

畑澤 使っていなかったですね。M74六角焼夷弾三八本を束ねた「E48集束焼夷弾」として投下されました。青森に落とされたのはそれが二一八六発だから約八三〇〇〇本です。米国の戦略爆撃調査団は「M74は青森のような可燃性の都市に使用された場合有効な兵器である」とか言ってますから完全に実験です。その後、朝鮮戦争で散々使われますし。街の焼失割合は、確か東京より北では、青森が一番だったはずです。青森には青函連絡船がありますから、北海道から石炭が入ってきますから。米軍にとっては叩くべき物流拠点だったわけです。悲しいことに。

畑澤聖悟（はたさわ・せいご）

1964年秋田県生まれ。劇作家・演出家。劇団「渡辺源四郎商店」主宰。青森市を本拠地に全国的な演劇活動公演を行っている。2005年『俺の屍を越えていけ』で日本劇作家大会短編戯曲コンクール最優秀賞受賞。2017年『親の顔が見たい』が20世紀フォックスコリアによって映画化。ラジオドラマの脚本で文化庁芸術祭大賞、ギャラクシー大賞、日本民間放送連盟賞など受賞。現役高校教諭で演劇部顧問。指導した青森中央高校と弘前中央高校を10回の全国大会に導き、最優秀賞3回、優秀賞5回受賞している。

井上　井上ひさし曰く、当時住んでいた川西、米沢には空襲がなかった。空襲がないから、呑気にチャンバラしてたって言ってました。井上ひさしはそのとき軍国少年だったので、同じぐらいの歳の子たちがみんな死んでしまったことに対して、ものすごく罪悪感があると私に話していましたね。

満洲と落語

畑澤　その頃、監督は満洲の大連にいらっしゃった。

山田　戦後も二年ぐらいいました。最後は難民ですよ。リュックサックひとつで引揚船に乗って戻ってきた。圓生（六代目三遊亭圓生）と志ん生（五代目古今亭志ん生）も当時大連にいて、彼らも引揚者ですよね。

井上　井上ひさしに『円生と志ん生』という戯曲があるんですけれども、山田監督はまさにその場にいらっしゃった。

山田　当時の大連で、彼らは食うためなのかな、名人会とかやっているんです。でも生きるのが精一杯で落語なんて聞いてる場合じゃないわけですよ。僕は中学生だったけど、この人たちは労働や商売なんてとても向いてないだろうし、落語家っていうのはこういうときは可哀相だなって思いましたね（笑）。井上さんも少年時代に落語聞いてた？

井上　はい。戦後に母親と結婚して、母方の祖父が落語が大好きだったのでレコードで聞いていたみたいですけど。

山田 たぶん山形も一緒だと思うけれど、僕のいた満洲も落語の寄席なんてないから、ラジオで聞くのね。土曜日の夜に寄席中継の時間というのがあって、圧倒的に人気があった。当時は国営放送だけ。日本放送協会一本でチャンネルひとつしかない。それが土曜日の夜八時から、寄席中継を一時間やる。これが楽しみで楽しみで。だいたいあの時代、ラジオというのはタンスの上にあったね。ありがたそうにスイッチひねって、タンスの前に正座して。

畑澤 昔ってラジオそのものを見ながら聞いてましたよね。

山田 ラジオを見ながら想像するんですよ。噺家の顔なんて知らないけれども、その世界を。先代の小さん師匠（五代目柳家小さん）と一緒に仕事したことがあるけど、噺家の姿が消えて物語が高座に残るというのが本当の一流の芸で、噺家は消えなきゃいけませんと言ってました。まさしく僕の少年時代は、噺家は見えなくて、スピーカーの向こうに裏長屋の熊さん・八つぁんの姿を想像していたんだ。

井上 井上ひさしも落語を聞いていたと思うんですけれども、言葉だけで人に想像させるというのは、作家も同じですね。

山田 笑わせることが好きというか、むしろ自分が笑いたいというかな。僕は笑いたい少年だったんじゃないのかな。だから落語が気に入ったんだと思う。井上さんだってきっと同じような少年だったに違いないよ。人を笑わせることを楽しんでいるというか。

落語と寅さん

山田　僕は落語に憧れていたからね。少年時代に一時期東京にもいたんです。生まれたのは大阪なんだけれども、赤ん坊の頃に満洲に行って、三年だけ東京にいたけど戦争が始まったからまた逃げるように満洲に行って、それから山口県に引き揚げだから、どこがルーツだか自分にもよく分からない（笑）。その東京にいた時、小学校の四年生でしたか、駅前の古本屋に講談社の落語全集が売られてたんだね。上下二巻のすごく分厚い本。それが欲しくて欲しくて、そこから笑い声が聞こえてくるような気がするんだ。ただ店の親父が難しい顔をしているから、小学生がそんなものを手に取るわけにはいかない。ずっと欲しいなと思っていたら、ジフテリアという伝染病にかかってちょっと危険な状態になった。父親が病院に来て何か欲しいものはないかなんて訊くから、これはチャンスだと思って、古本屋にある落語全集が欲しいって言ったら父親は変な顔してたけど、でもしょうがないから買ってきてくれたんです。僕にとっては宝物で、満洲にも持って行って、それを読んでひとりでゲラゲラ笑っていたんだけれど、敗戦の後、四七年に引き揚げになった。リュックサックひとつしか持っていけないのに、その落語全集を入れていたら親父が怒るのよ。もっと大事なものを入れなきゃいけないんだ、なんだそんなものって（笑）。しょうがないから置いていくことにして、引き揚げの朝にリュックサックを背負って家を離れて、集合場所に行くんだけれども、振り返ったら、中国人の貧しい少年たちが家を取り囲んでいて、僕たちがいなくなった途端に一斉に中に入って、略奪するんだね。窓枠や家具なんかは全部叩き壊して薪にするわけだ。それを見て、ああ、あの落語全集も焚きつけになるんだなと思って。

井上　その後、同じ本を探したりしました？

山田　しばらくはそんなものを探すようなゆとりはなかったですね。食うのが精一杯だったから。僕らの世代の特徴じゃないかな、とにかく食べなきゃいけないっていう気持ちが強い。戦後に大学を卒業して映画界に入ってから、もちろん別の落語全集は買いましたけれども。

井上　そういえば寅さんも落語の登場人物みたいですよね。

山田　寅さんも、熊さんとか八つぁんですよ。だから最初は熊五郎にしようと思っていて。僕の中では熊さんなんです。熊さんを演じられる俳優がいないかなってずっと思っていた。でもなかなかいなかった。ハナ肇で映画を何本も作ったけれども、ハナ肇は何ていうかな、どこか地方出身者の匂いがする。それがハナ肇の魅力だけどね。洗練されたシティボーイではない。そういう人いないかなと思っていた時に、渥美清さんと出会った。あの人と打ち合わせで喋っているうちに、僕がずっと会いたかった熊五郎が目の前にいるような気がしてね。落語の熊さんというのはこんな人だったんだろうって。だから熊五郎にしようと思ったんだけど「おい、熊さん」っていうのは、なんとなくもそもそしていて威勢が悪い。寅のほうがラ行で終わるので耳に強い。だから「寅さん」にした。落語の影響は濃いですね。

地方のことばと笑い

山田　津軽の人は笑い話が好きな印象なんですよ。知り合いに弘前の人がいるけど、僕に言わせると、年中ちょっとエロがかったアホな話ばかりしている。

畑澤　エロ話は多いですね、東北は。津軽のごだく、とか。

山田　東北訛りでそういうことを喋ってる。この人たちはおかしな人だなといつも思っていましたね。

畑澤　津軽弁は敬語がないので、遠慮がないかもしれないですね。訛っていると敬えないんです。だから、上も下もなくタメ口で喋っています。僕は生まれが秋田なんですけれども、青森の人たちはどうしてこんなに喧嘩口調なんだろうってずっと思ってました。

井上　語尾は柔らかい感じがしますけれど？

畑澤　いえ、語尾はけっこうきついですよ。丸みがないというか、バシバシ言います。遠慮のなさでフレンドリーを示そうとする感じですかね。

山田　もう亡くなったんだけど、寅さんを含めて僕の作品の大部分をやってくれたカメラマンの高羽さんは会津の人なんです。その人のおかげで僕は四十八作も寅さんを作ってこられたと思っている優秀な映画人でしたけど、一緒にあちこちにロケハンに行ったりシナリオハンティングの旅をしたりするわけです。宮崎県の日向に行ったときに、案内してくれた人が地元のお得意のギャグを教えてくれました。神武天皇が大和朝廷を作るべく日向の浜から奈良まで旅立ったときに、大勢家来を連れて行かないといけない。だからその土地の優秀な人間をかき集めて船に乗せて東征して大和の国を作った。だから残ったのはアホばかり、と言って笑うわけです（笑）。それを聞いて会津出身の高羽さんは、この人たちは自分のことをアホだと言って笑っていると感心してました。そういうジョークは会津人は絶対に言いません、と。俺たちは絶対にバカにされないぞという気風があるから、そういう発想は会津人にはないんだそうです。

井上ひさしさんの構想

井上　言葉が喋れないことで人間の尊厳を傷つけられる体験をしたから、とことん言葉にこだわってみようとスタートして、だんだんと言葉で何かを表現しようとする人たちに関心を持っていきます。その後、たとえば国が間違った号令をかけた時にたくさんの人が死んでしまったりする、そんなふうに言葉が間違って使われる責任は一体誰がとるんだということにつながって、後期に入っていくんですね。『父と暮せば』は間違った言葉の号令で、普通の暮らしをしていた人たちがどれだけの影響を受けたかということを書きたいと言っていた思いの成果です。調べていくうちに、無数の被爆体験を見つけていって、そのたくさんの被爆体験をあのふたりにギュッと背負わせて舞台に立たせているような気がします。被爆体験をした美津江さんと竹造さんは確かに存在しているけれども、いろんな方の体験が凝縮された集合体でもあって、それを今の人たちがみんなで再現する、現代に呼び戻す作業をしている。そういう意味で『父と暮せば』ではありえないことがありえている。それは演劇の醍醐味だなという気がしました。その『父と暮せば』の次をやりたいと井上ひさしはずっと思っていた。書きたいというよりは、書かなければいけないという気持ちだったんじゃないかと思います。

井上　『母と暮せば』というタイトルは、井上ひさしさんが考えていらっしゃったんですか?

畑澤　そうです。広島は『父と暮せば』だけれども、長崎はお母さんだろうねと。それを山田監督に話したとき、その瞬間に監督のなかにイメージが浮かび上がってくるのを目の当たりにしました。最初はやっぱり演劇にすることしか考えていなかったので、映画になるということは私も思っていなかったんですけれども、話をした時に監督の中でイメージが浮かび上がっていく様子は見ました。

山田　そんなかっこよかったかどうか。

畑澤　助産婦さんという設定は監督が考えられたんですか?

井上　そうです。細かいディティールは全部監督が考えて下さいました。

畑澤　産婆さんっていう設定がすごいと思っていました。たぶん僕は、いま日本で一番あの映画を観ているんです。三〇回ぐらい見ていて、さらに執筆中にもずっと流していましたから。書きながら同じ場面で泣いたりして。

山田　広島に有名な話があるでしょ。被爆した産婆さんが赤ん坊をとりあげたという。赤ん坊を産ませて、その産婆さんはまもなく死んでしまった。それが頭にありました。

畑澤　「生ましめんかな」(栗原貞子の原爆詩)ですね。執筆中、本をコピーして書斎の目立つところに張り出してました。あのイメージにずいぶん助けて頂きました。

大事な人が出てこない

畑澤　実は『男はつらいよ』をモチーフに芝居を書かせていただいたことがあります。劇団昴に最初に書き下ろした『猫の恋、昴は天にのぼりつめ』は、寅さんだけが出てこない『男はつらいよ』なんです。さくらが四三歳になっていて……。

山田　寅さんが出てこないけれども、どこかにいるって話ですか？

畑澤　寅さん役をお兄さんではなくお父さんにしました。そのお父さんはどこかにいるんですけれども、行方不明になって帰ってこない。飼っている老猫がお父さんとして出てくるという芝居です。ふらっといなくなる寅さんが猫として戻ってくるという話でした。

山田　猫が出てくるんですか。

畑澤　出てきます。

山田　どう芝居するんですか。

畑澤　猫は高齢の役者さんが白いスーツを着てるんです。けれども猫なんです。その猫が、見合いの席をぶち壊すためにお父さんとして現れるという話でした。どうしてもあの寅さんの世界をやってみたいなと思って、拝借しました（笑）。

山田　光栄です。猫になったか（笑）。

畑澤　虎とくれば猫だなと（笑）。

山田　今でもいろんな寅さん映画ができると思うんだけれども、『寅次郎、不要不急』ってのはどう

井上　かな（笑）。寅さんが社長に向かって、「お前、不要不急なんだからふらふらするんじゃない馬鹿野郎」とか言って喧嘩になるけど、実は一番不要不急なのは寅さんだっていう。

山田　（笑）不要不急って最近よく言われますけれども、それなら悪いことじゃないですね。

井上　寅さんなんて、生まれた時からずっと不要不急だよ。

山田　そういう人って絶対必要で、不要不急って実際は何なのか……。

畑澤　それが家族で議論になる。さくらが「そんなことないよ、お兄ちゃんだって役に立つよ」って言って、「あんなやつ何の役に立つんだ」って、そんな話。実は世の中には役に立たない人間は一人もいないんです。そういう基準の立て方がまちがっている。

山田　寅さんがいない時のあの一家の情景があるじゃないですか。あれが僕は大好きです。「いないほうがせいせいするぜ」とか言いながら、みんな寅さんのことを心配している。寅さん不在の時のほうが、ある意味存在感がある、みたいな。

井上　いわば、心配することが家族にとって日々の喜びになっているわけよ。

畑澤　劇作家の方はそういう書かれ方を良くしますね。

井上　そうですね。

父に『戯作者銘々伝』という本があって、江戸の戯作者についての本なんですけれども、その戯作者たちは一切出てこないんです。奥様が語ったり弟子が語ったり、全然関係ない人が語ったり、でも戯作者本人はまったく出てこない。父が笑いに興味を持ったのは、笑いというのは外からしか与えられないからだと。人間の苦しみや悲しみは生まれた瞬間から存在するものだけれど、笑いだけは人から与えてもらったり、人との関係性の中でしか出てこない。だからそれを書きたいと。さきほどの畑澤さんの、寅さんが出てこない寅さんの戯曲のように……。

畑澤 大事な人間が出てこない芝居ということは、井上ひさしさんから学びました。

山田 今ここにいない人を、登場人物と一緒に想像する。

井上 『父と暮せば』も『母と暮せば』も、普通はありえないシチュエーションですよね。死んだ人と生きている人との会話が、もちろんそれは生きている側の心の会話なんですけれども、そういう心の中の会話がお芝居になっていく。このお父さんは実際にはいなくて、全部娘の気持ちの中のことなんだと思うと、すごく切ないですよね。

書きたいことと、書かねばならないこと

山田 さっき言われたように、井上ひさしさんは、戦争にまつわる作品を書かなければならないと思い詰めて書かれた。作品には、書かねばならないという作品と、書きたいという作品とふたつあると思うんです。ふたつの動機がある。井上さんの作品を見ていても、おのずとそのふたつに分かれる気がするんだ。書きたくて書いたっていうものと、いま書かねばならないのはこれだっていう作品と。戦争に関わる作品は明らかに後者ですね。

井上 井上ひさしは自分が病気だとわかったときに、何から書こうかと考えたはずです。びっしり三年先まで予定が入っていたのをそぎ落としていって、最後に残ったのが『父と暮せば』と沖縄

映画『母と暮せば』と、演劇『母と暮せば』と。

の『木の上の軍隊』。ここから書き始めないといけないと言って、ずっと集めていた沖縄の資料を書斎に持ち込んだ。その時息絶えたんです。

山田 多分東北のルーツにも関わることだと思うんだけれども、井上さんにはすごいナンセンスの才能がある。でも原爆をテーマにした作品を作るということは、ナンセンスの発想では全然ない。いま日本人にとって、日本の劇作家にとって必要なことはこれなんだと考えて作った。でも作り上げられた形というのが、死んだ人との会話という、かなりのナンセンスなんだ。井上さんのナンセンスの世界と、書かねばならない世界が不思議に釣り合っている。なかなか考えつかないことですよ、死んだ人と語り合うことがドラマになり得るというのは。

畑澤 青森のイタコは有名ですが、イタコは基本的には青森県の南部地方にしかいないんです。それ以外にカミサマと呼ばれるシャーマンがいて、千里眼のようにいろんなことを見通したり、死者の霊を降ろしたりするんですけれども、弘前とか津軽の人は信じているんですよ。去年死んだおじいちゃんが大晦日には普通にそこに座っているみたいな死生観を持っていて、会話はできないけれども、カミサマに頼めばいつでもそこにいるみたいな、何かそういう感覚があるんです。『母と暮せば』も最初はそっちの方に寄せて考えていたんです。初稿はABCC（原爆傷害調査委員会）に雇われた若い研修医が被爆した産婆である伸子を調査しに来て、そいつに浩二の霊が憑依するという筋立てでした。でも、栗山さんに違うと言われて、自分でも、そりゃそうだなあ、違うなあ、と感じて書き直しました。

伸子の生と死

畑澤　二人芝居ということになった時に、一番大きな問題は町子が登場しないということでした。お引き受けして一週間ぐらいして「そうか！　町子を出せないのか！」といまさら実感して、絶望的な気持ちになりました。映画で一番好きなのは黒木華さんの町子が、婚約者のクロちゃん（浅野忠信さん）を連れてくるシーンです。クロちゃんの靴紐を結んであげる町子の手がアップになるじゃないですか。その町子の手がすごく印象に残っていて。冒頭の墓参りでは町子が伸子の草履の鼻緒を直してあげて。中盤の回想では浩二と腕相撲をして、腕相撲をする手のアップから、戯れて手を繋いだり。その手が新しい婚約者の靴紐を結ぶ手になってしまう。つまり、浩二以外の誰かのための手になっている。かと思っていたら、最後に町子が伸子に抱きつくじゃないですか。伸子の背中にまわされた手がアップになるんですよ。ずっと頭の中に手がありました。だから町子が出ないのは重大事です。物語の救いは町子がこれから生きていく、ってことですよね。映画を初めて拝見したとき、「ああ、だけどこのお母さんは死んじゃうんだな」と思ったんです。「死ぬべき」とは思わなかったですけど、天に召されることで彼女は救われるんだろうなという思いがありました。

井上　この前監督が、伸子が死ぬことにしたのは正解だったのか分からないということをおっしゃっていて。私はやっぱり映画では、死んで息子のもとに行くのが一番綺麗な終わり方だと思っていたんですが。

山田　一番迷ったところです、最後をどうするかというのは。息子と別れるんだろうけど、どういう別れ方なのか。一緒になるということはあるのか。一緒になるんだったら、お母さんは死ぬしかない。そんなことを議論したことがありました。

畑澤　山田監督の『息子』では、ラスト付近で次男とその彼女と三人で東京のデパートでＦＡＸ機を買うじゃないですか。三國連太郎さんが新幹線で岩手の家に帰ってきて、だけど、家までの道が雪で埋まってて、ＦＡＸ機の箱を抱えたまま、腰まで雪で埋まりながら歩いて行く……青森にいると、あの感覚がすごく分かるんです。冬に長く家を空けると膝や腰まで雪に埋まらないと家までたどり着けない。荷物を抱えたまま歩く三國さんを観ながら、この人、このまま死んじゃうんじゃないか、って不安になったんです。雪の中で死んじゃったらどうしよう。頼むからここで映画が終わらないでくれと思って見てました。なんとか無事に家に入って、一番いい時の家族の団らんの姿が見えて、死ななかったけど、だけどこの人これからどうするんだろうと。ひょっとして次男夫婦が一緒に暮らしてくれるかもしれないとかいろいろ考えながら……。『息子』で一番泣いたのは、あの雪の中を歩いているシーンでした。「死なないでくれ」「ここで死んだら寂しすぎるだろ、あんた」とスクリーンに向かって祈りながら泣いてました。だけど『母と暮せば』で、吉永小百合さんの伸子が二宮和也さんの浩二に「疲れたからもう休ませて」と言って横になったとき「そうだよなー、死んじゃうよなー」と思えて、泣けました。涙の種類が違うんですね。納得の涙というか。

山田　町子が息子とは別の婚約者と一緒になることがどうにも我慢ができないという苛立ちというか、

畑澤　自分はそんな嫉妬をする嫌な女なんだっていう、その感情が強ければ強いほど、彼女は死ぬことによってその感情から解放されることになるかなと思ったりもしたんです。婚約者を連れてきた町子に向かって、良さそうな人で良かったわねって言うんだけど……どうしても湧いてくる嫉妬がある。そこからさかのぼって、なぜうちの息子が死んでしまって、私はこんな目に会わなきゃいけないんだというところまで描ければ、その先に戦争という悲劇が現れます。そういった苦しみを解決するためには、お母さんはこの世から去るしかないのかなと。それがイージーであったのかな、やっぱり生きなきゃいけなかったのかなとか、そういう思いは残りますね。生きていく人間と使命を終えて安らかに召される人間という対比がしっかりあったので、納得できたのだと思います。町子の存在があったればこそと思います。だけど、舞台版には町子が登場しません。町子が出ない以上、伸子が死ぬわけにはいきませんから、生きていくしかないことになります。

井上　いま、再演を前にしてもう一度読むと、この世に何も引き留めるものがない状況で、いつ原爆病の症状が出てくるか分からないなかで生きていくしんどさみたいなことを考えると、生きていくことは相当にきつい……。

畑澤　産婆として子どもを生ましめるということが、伸子が生きるということなんだというふうにすればいいんじゃないかと考えたんです。最初に助産師という設定を彼女に与えてくださったおかげで、あの結末にたどり着けたと思っています。

山田　なるほどね。でもあなたの『母と暮せば』は実に素晴らしい出来上がりです。失礼な言い方かもしれないけど、上手いんです。特に感動したのは浩二が教室で焼死した時のことを語る場面。原子爆弾のすさまじさを映画で表現するために僕も苦労したけど、あなたは浩二に「熱か、熱か……」と叫ばせた。あそこはすごい表現力だったな。身震いしました。

畑澤　恐縮です。

井上　それにしても、『母と暮せば』は本当に短い期限の中で書いてくださって。

山田　短かったですか。

畑澤　締め切りから一カ月ぐらい遅れたんですよ。井上さんからメールが来るのが怖くて怖くて。でも入稿したら「早かったですね」って言われて。

山田　その頃にはもう公演の予定も役者も決まってた？

井上　決まっていました。でも『木の上の軍隊』を作った時にはプロットの書き直しもありましたからスタートから大変でした。だから畑澤さんはすごく早いイメージがあります。

畑澤　映画のファンの代表として、あの映画のファンの方達を裏切ってはいけないと思っていました。だから映画にない設定は使わない、映画に出てこない登場人物は出さないというルールを課しました。そうすると、町子が婚約者を連れてきた話は序盤で出すしかなくて、それはつらかった。でもおかげであのラストになりました。そしてそこからは『父と暮せば』に似ないようにする戦いが始まりました。劇作家にとって『父と暮せば』は教科書ですから。二人芝居とはどうあるべきか、原爆を扱う芝居はどうあるべきか、芝居に出てくる幽霊はどうあるべきか。偉大な知恵がぎっしり詰まった教科書です。

山田　そもそも芝居そのものが幻であって、その幻の中に幻が出てくるというのは、実は相当面白いことなんだよな。

当事者性に対峙するために

井上　映画版の『母と暮せば』では原爆の瞬間を描いていて、そこは本当に衝撃的でした。小説でも演劇でもその瞬間のことを描くことはあっても、やっぱり映画はそれを可視化できますから。

畑澤　インクの瓶が溶けて歪んでいくのをずっと見せるというあのイメージは超えられない。そのことは最初に思いました。だから違うシーンを書こうと。戯曲では爆発の瞬間は書かないで、教室棟が倒壊してから燃えたことにしました。

山田　あの瓶が溶けていくシーンは、死んだ瞬間に浩二は何を見ていたんだろうというところから考えました。彼が死の前に見ていたものがあっただろうと。一瞬だけでも、目の前のインク瓶が溶けるのを見たのではないか。その次の瞬間にはほとんど意識はなくなっていくんだろうけれども……。人間は首を切られてもしばらく意識があるという、ちょっと怪しい説があるんだけれども、だから浩二は死んでいるんだけれども、わずかの間だけ意識があって、彼が見た最後のイメージは瓶がドロッと溶けていくところだったかもしれない。そのときには彼自身も溶けてしまっているんだけれども。

井上　浩二が生と死の境目で見た一瞬だったんですね。

映画『母と暮せば』と、演劇『母と暮せば』と。

畑澤　3・11のとき、青森市にいた僕は被災していません。そんな、二日くらい停電しただけの人間が3・11について書くのはおこがましいような、何か失礼なような気がしていて、ずっと手が出せなかった時期があったんです。だけどこのまま黙っていていいはずはないという意識もあって。でも、『父と暮せば』を見て、広島とは関係ない人が書いたんでしょ？　なんて批判する人はいないわけです。井上ひさしさんは執筆前に被爆者名簿を写経のように書き写していたと伺いました。そういう覚悟が必要なんだ、と。そういう覚悟があって初めて当事者性というものを凌駕できるんだ、と。執筆中に延々と映画のＤＶＤを見ていたというのは、映画を作られた人たちの想いを自分に染み込ませたいという気持ちもあったからです。みなさんの覚悟を少しでも分けて頂けたら、みたいな感じです。

井上　『木の上の軍隊』を書いた蓬莱竜太さんも仰っていたんですけれども、自分たち若い世代が戦争を書いていいのか、書いちゃいけない気がするって。

畑澤　山田監督には戦時中の記憶がありますけれども、我々にはないわけですから。三國連太郎さんの雪中シーンで泣いちゃった『息子』ですけれども、戦友会のシーンも忘れられません。おじいちゃんたちが熱海の温泉ホテルでカラオケの軍歌を歌っているのを見て、こうやって互いの記憶を語り合う人達ももういないんだと泣けてきて。『息子』は九一年の作品ですから、あれから三〇年経って、戦友会の人たちももういなくなっていますね。

山田　一九四五年には、さあこれからは平和な世界を作らなければいけないと世界中の人たちが真剣に思っていました。日本は平和憲法ができて、日本はこれで歩んでいくんだと日本人がみんな真剣に考えていたという夢のような時代があった。だけどそれから七〇年以上経って、今また世界中が変な状態になっている。人間はちっとも賢くなんてなっていない。核兵器禁止条約には肝心の日本が入らないというバカバカしいことが起こっている。日本こそリーダーシップをとって、核兵器を廃絶しようとしなければいけないのに。

「喪の仕事」を続けていく

井上　私はエンターテイメントの力を信じているので、どんな形であっても見るきっかけを作る場があればと、ただそれだけを思っています。たまたま父が書いたものがそういうものが多かったのでやり続けているということはありますけれども。やっていると必ず現代と繋がっていることがあって、私たちは気づかない見方を若い人たちに教えてもらうこともあったりします。

山田　突然身近な人を亡くした人は一種の精神的な病にかかるんだそうだけど『母と暮せば』のお母さんも愛する息子が突然死んでしまって、大混乱の中に生きている。戦争中は毎日、何百人何千人という人が「喪の仕事」を求めていた。

井上　『母と暮せば』には最初、「大事な人を亡くした全ての人へ」というキャッチコピーがあったのですが、そのことに関係して、監督が「喪の仕事」とおっしゃったんです。今コロナ禍のなかで、これほどまでに命が数値化されてワイドショーなんかで言われる時代というのはなかなかないと思うんです。今日は何人死んだ、今日は何人感染したとか。大事な人を亡くした普通の人たちの「喪の仕事」のかたちとして、いま自分の気持ちに決着をつけていく方法を探している人たちにも見てもらいたいと思っています。

畑澤 井上さんの書かれた『紙屋町さくらホテル』では町内がまるごとなくなってしまう。その時に、この人たちの喪は誰がしたんだろうと考えます。「喪の仕事」をすることによって、コミュニティがその死を受け入れて前に進んでいくんだけど、戦争とかあるいは津波で全員が死んだということになると、誰にもそういう「喪の仕事」ができない。

山田 戦争では、時として一晩に十万人以上もの、自然災害とは比べようもない、桁違いの人が死んでいく。何十万人もの人が後遺症で苦しんだし、戦後もずっと苦しみ抜いたであろうということですね。『母と暮せば』の伸子や『父と暮せば』の美津江はそのひとりなんだけれども、そのひとりひとりにこれだけの物語があるんだということですね。戦争では世界中で何千万というひとりひとりが死んでいるわけだから、人類はいつまでもその人たちを思い返さなければいけないと思います。

畑澤 人として幸福に生きることと、幸福に死ぬということは等価な気がしています。個人としては死があるんだけれども、人の営みとしては続いていく。その人の営みが理不尽に分断されてしまうということが悲劇なのだと思います。戦争もそうだし震災もそうだしコロナもそうですけれども、そこに対する怒りを描くというのがわれわれの使命であると思います。エンターテイメントなので楽しんでもらって、笑ってもらって、泣いてもらって、何か大事なことを考えてもらうようなものを作り続けていかなければならないと思っています。

世界の中心・青森から愛を叫ぶ——劇作家 畑澤聖悟の世界

工藤千夏（渡辺源四郎商店ドラマターグ）

プロローグ、あるいは、前置き

二〇〇五年、渡辺源四郎商店は、畑澤聖悟の作品を上演するプロデュース・ユニットとして旗揚げした。開店準備公演『俺の屍を越えていけ』の東京公演（於：アトリエ春風舎）で、畑澤演出の渡辺源四郎商店版と同時上演するため、私は自分の所属する青年団からキャストを集め、リーディング版を企画・演出した。当時は、冗談まじりに渡辺源四郎商店東京支店長を名乗り、私の出身地である青森市から発信する新しい演劇集団が地域演劇の核となるよう、東京から応援するつもりだった。

渡辺源四郎商店のチラシで、私が初めてドラマターグ・演出助手としてクレジットされたのは、翌二〇〇六年、渡辺源四郎商店第2回公演『背中から四十分』（作・演出：畑澤聖悟）から。こまばアゴラ劇場（東京）、北九州劇術劇場（福岡）、アトリエ１００７（青森）のツアー終了後の十二月、単身、渡米した。Theatre Arts Japan 主催のステージ・リーディング・シリーズ第二弾として、Taipei Cultural Center of TECO（台北カルチャーセンター）でリーディング上演する『背中から四十分』の英語版"40 Minutes from the Back"（翻訳・主演：近藤強）の演出をするためである。当時の私は、まさか、渡辺源四郎商店や畑澤聖悟の作品づくりにここまでどっぷり関わるとは、想像だにしていなかった。

二〇〇五年から、この文章を書いている二〇二一年五月までのおよそ十五年間に畑澤聖悟が執筆した戯曲は、八十作品（旧作のリライトや共作を含む。ラジオドラマや映像作品の台本は含まない）。

プロデュース・ユニットのレギュラー・スタッフとなり、劇団渡辺源四郎商店立ち上げに関わり、さらに、劇団を運営する法人の代表にもなった私は、そのほぼすべての戯曲にドラマターグ（劇作補）として関わってきた。

もし、畑澤が、東京の小劇場の劇団の座付き作家だったら、創り上げる芝居は変わっていただろう。だが、主宰する劇団の本拠地を自身の生まれ故郷でもなんでもない青森市に定め、その地から発信すると決めたことで、彼をとりまく環境も出会いも全く違うものになり、劇作家・畑澤聖悟の方向性が決まった。

畑澤は、県立高校の教員として高校演劇部の指導にあたり、さらに、中学生やアマチュアを対象とした演劇ワークショップのファシリテーションや市民劇の作・演出をすることで地域社会に演劇の種を植え続けてきた。また、地元に残ることを選択した演劇部OB・OGが演劇を続ける受け皿を提供するために、劇団とアトリエを維持し、劇団員の出演機会を確保してきた。稽古スケジュールも旅公演を含む本番スケジュールも、仕事を持つ劇団員がいかに演劇活動と社会生活を両立させるかを優先してきた。とりまく環境やさまざまな事情が、いや、むしろ制約が、畑澤の創作の原動力になってきたと言えるだろう。

年間五〜六本のペースで演劇作品を量産し続けている畑澤の創作現場とは？　潜入するまでもなく誰よりも事情通のドラマターグとして、畑澤作品を解説してみたいと思う。

1. 宮越昭司が畑澤に書かせたもの

畑澤の劇作に誰よりも強い影響を与えた俳優は、「宮さん」こと、宮越昭司（一九二七〜二〇一九）である。二〇〇四年、まだ渡辺源四郎商店発足準備も始まっていない頃、畑澤は青森演劇鑑賞協会の鎌田秀勝事務局長に、青森演劇鑑賞協会プロデュース公演『渡辺源四郎の一日』の作・演出を委嘱された。六十歳以上の青森県民限定のそのオーディションで、畑澤は宮越に出会い、主役の渡辺源四郎をアテ書きすることになる。

『渡辺源四郎の一日』あらすじ　青森市郊外の老人ホーム。七十六歳の渡辺源四郎が迎えたある一日。高齢者同士や若者同士の恋愛、コンビニエンスストア強盗など、さまざまなエピソードを織り交ぜながら、高齢者と若い職員の交流を描く。

〈『渡辺源四郎の一日』上演歴〉

2004・4　青森演劇鑑賞協会プロデュース公演／アウガ五階AV多機能ホール（青森市）
　　　　　青森演劇鑑賞協会プロデュース公演／シエルホール（青森県川内村）
2004・6　青森演劇鑑賞協会プロデュース公演／プラザおでって（岩手県盛岡市）
　　　　　青森演劇鑑賞協会プロデュース公演／八戸市公会堂（八戸市）

新劇などの既成作品の買取公演を担う演劇鑑賞協会が、オリジナル作品を企画・上演することも、地元以外の劇場を巡演することも極めて稀なことで、畑澤と宮越が出会ったこの作品がエポック・メイキングであったことが伺い知れる。

この作品のプロットを作るにあたり、畑澤は十名のオーディション合格者たちにインタビューを行った。一九二七年、青森市生まれの宮越は、満洲に渡って新京（現：吉林省長春市）の建国大学に進み、満洲で終戦を迎え、帰国後、紆余曲折を経て電力会社で働き、激動の昭和を駆け抜けた人物である。戦争で亡くなった人々のために経を唱えるのが日課だという宮越の人間性と、何があっても変わらぬ旺盛な好奇心に、畑澤は強く魅かれた。宮越は、退職するまで演劇とは無縁で、俳優の修行などしたことはなかった。だが、宮越が台詞を発するとき、他の追随を許さないリアリティが溢れ出る。畑澤も私もその説得力を信頼し、二〇〇六年の渡辺源四郎商店開店公演『夜の行進』から渡辺源四郎商店メンバーとなった宮越と共に、多くの作品を生み出すことになる。

〈宮越昭司　渡辺源四郎商店出演歴〉

2006　渡辺源四郎商店開店公演『夜の行進』作・演出：畑澤聖悟
2007　渡辺源四郎商店第4回公演『小泊の長い夏』作・演出：畑澤聖悟
2008　渡辺源四郎商店第6回公演『ショウジさんの息子』作・演出：畑澤聖悟

2009　渡辺源四郎商店第9回公演『3月27日のミニラ』作・演出：畑澤聖悟
2009　工藤支店借景芝居『A面・B面』作・演出：工藤千夏
2009　渡辺源四郎商店第10回公演『今日もいい天気』作・演出：畑澤聖悟
2010　第12回公演『ヤナギダアキラ最期の日』作・演出：畑澤聖悟
2010　渡辺源四郎商店×東京デスロック合同公演『月と牛の耳』作：畑澤聖悟、演出：多田淳之介
2011　渡辺源四郎商店第13回公演『あしたはどっちだ』作・演出：畑澤聖悟
2012　渡辺源四郎商店第15回公演『翔べ！原子力ロボむつ』作・演出：畑澤聖悟
2012　世代交流あおもり市民劇『八甲田丸の1700万人』作・演出：畑澤聖悟
2013　若葉支店第1回公演　1／3の小さな反逆『懺悔』作：宮越昭司、演出：吉田唯　※劇作のみ
2013　世代交流あおもり市民劇2013『わたしと空と八甲田丸』作・演出：畑澤聖悟
2014　世代交流あおもり市民劇2014『八甲田丸　50歳の船出』作・演出：畑澤聖悟
2015　なべげん日曜劇場『中山くんの縁談』作・演出：工藤千夏
2015　第22回公演『海峡の7姉妹～青函連絡船物語～』作・演出：畑澤聖悟　※声の出演

―２０１６　第26回公演『コーラないんですけど』作・演出：工藤千夏　※声の出演

宮越は、二〇一二年、八十五歳まで、渡辺源四郎商店の東京公演にも参加した。稽古に通うこと、舞台に立つこと、東京に旅をすることが可能かどうか、畑澤は九年間毎年悩み、結局、毎年出演を依頼した。その度に、宮越は、「こんな棺桶に片足突っ込んだ者でお役に立つなら」と、家族の反対を押し切って出演を快諾していた。実際、八十代になってもすこぶる元気で、旅公演の宿泊先で宮さんのお世話をするために同室にした若い劇団員が先に酔っ払ってしまい、逆に宮さんが介抱したという逸話も残っている。

ちなみに、『渡辺源四郎の一日』出演により、二〇〇五年、当時七十八歳の宮越は日本インターネット演劇大賞・優秀新人賞を史上最高齢で受賞した。また、映画界からの出演オファーも多数あり、二〇〇七年の映画『素敵な夜、ボクにください』（監督：中原俊）、二〇〇九年『ウルトラミラクルラブストーリー』（監督：横浜聡子）、二〇一〇年『踊る大捜査線 THE MOVIE3 ヤツらを解放せよ！』（監督：本広克行）など、銀幕でもその存在感を発揮した。

二〇〇八年、渡辺源四郎商店第6回公演『ショウジさんの息子』は、『CoRich 舞台芸術まつり！　２００８春』のグランプリを受賞した作品である。二〇〇五年五月、『渡辺源四郎商店の一日』ツアー終了直後に、宮越昭司のために書き下ろした『ケンちゃんの贈り物』をベースに、新しいアトリエのこけら落とし公演にふさわしく、大幅に加筆した。

『ショウジさんの息子』あらすじ　青森県青森市の郊外にある築三十年の家に、八十歳の父と五十歳の娘婿が住んでいる。二人は、娘が急逝した後、世の中から取り残されたような二人暮らしをしている。父の誕生日、ささやかなパーティの準備が進む。子は言った。「ワからプレゼントあるんだけどさ」父は答える。「なんだば、そりゃ。ワからも、プレゼントあるんだばって」そして見知らぬ女性がひとり、現れるのであった……。

この作品に登場する「相手を思いやるが故の優しい嘘」は、畑澤が繰り返し用いるモチーフである。『夜の行進』『小泊の長い夏』など、宮越が扮する年老いた父親の幸福のために、家族が嘘をつき、偽りのドラマを演じる。

二〇一〇年、渡辺源四郎商店第12回公演『ヤナギダアキラ最期の日』は、宮越の戦争体験や非戦への思いをいかに舞台に乗せるか、畑澤が粉骨砕身した作品である。劇団昴ザ・サード・ステージに書き下ろした『イノセント・ピープル』の執筆のためアメリカ、日本双方の戦後史を取材するうち、戦争における加害／被害の問題を考えるようになった畑澤は、八百比丘尼の伝説をベースに加害者としての旧日本軍の記憶を、ファンタジーとサスペンスの要素を取り混ぜて描いた。

『ヤナギダアキラ最期の日』あらすじ　舞台は、十和田湖畔の末期癌患者のホスピス。八十歳の入所者・ヤナギダアキラに若い男が面会に来た。二人の話は戦友同士の思い出話。若い男は戦争中フィリピンで人魚の肝をマラリヤの特効薬だというので食べ、不老不死になったらしい……。

奇想天外な設定がいつのまにかリアルに迫ってくるというのも、畑澤作品の特徴の一つだが、役柄を演じるのではなく、舞台上にまさにその人として存在する宮越の存在があって、畑澤は不安を感じることなく、このような設定を企画、実現してきたのだろう。

被害者が直接死刑執行を行う「死刑員制度」という架空の制度もまた、畑澤らしい奇天烈な設定だ。光市母子殺害事件における被害者遺族・本村氏の峻烈な応報感情にインスパイアされ、執筆した二〇〇八年上演の渡辺源四郎商店第8回公演『どんとゆけ』、その続編として執筆された二〇一一年上演の渡辺源四郎商店第13回公演『あしたはどっちだ』に用いられた。宮越は、『あしたはどっちだ』で、幼稚園に金属バットを持って侵入し、園児七名と園長を撲殺した犯人の祖父・川島栄一郎を演じた。

執筆時のディスカッションで、宮越が長い台詞を覚えるのは難しいから、手紙を読むという方法で行こうと相談した記憶がある。だが、戯曲を読み返してみると、**栄一郎、もう紙を見ていない**。というト書きの後、犯人である崇が全員に噛み付き、それに対する栄一郎の重要な台詞の多さたるや。殺人の罪を犯した孫を非難するどころか、自分のせいだと許しを乞う、その台詞を畑澤はどうしても、宮越の身体を通して表現したかったのだろう。そして、宮越はそれに応えた。

二〇一三年以降、宮越は、青森市内で上演する芝居だけに出演するようになった。後述する市民劇では、宮越はスターだった！　出演するだけで、観るものに元気を与え、絶大なる人気を博していた。

畑澤作品としての最後、声の出演をした『海峡の7姉妹〜青函連絡船物語〜』では、お父さん（国鉄）を演じた。「海峡の女王」と呼ばれた青函連絡船を擬人化して描くこの作品に、昭和という時代のリアリティをもたらしたのもまた、宮越である。

ちなみに、劇団にも名付けた『渡辺源四郎の一日』の渡辺源四郎という名前は、畑澤のルーツ、両祖父の名前を合わせたものだという。宮越がこの世を去ってから、宮越ほど畑澤の創作に影響を与える俳優はまだいない。

2.

会議ものウェルメイド——民主主義と多数決

俳優と教員の二足の草鞋で活動していた畑澤が、さらに二足の劇作家、演出家という草鞋を履いて踏み出した記念すべき第一作『召命』は、二〇〇〇年初演である。二〇一九年には、一般公募＋渡辺源四郎商店＋客演の総勢十六人出演の二〇一九年バージョンに改訂、会議以外のシーンも加筆、上演された。校長を互選するという、その奇抜な発想の面白さが色あせていないどころか、この二十年の教育現場の変化の中にあって、むしろ風刺の色合いが強まり、畑澤の着眼点の確かさを見せつける結果となった。

『召命』あらすじ　近未来。拘束力を失った文科省は、学校における「校長」の職を教職員の互選によって選び出す制度を導入。さて、青森県のある公立中学校の校長室。抽選で選ばれた八人は、学年主任、ベテラン国語教員、ニヒルな若手教員、怖いものナシの教員、新採用の教員、校務員、養護教員、社会人特別雇用制度適応の期間限定教員。前校長の死去に伴う新校長の役選に向けて、議論は伯仲していくが……。

制限時間内になにかを決めなければならないという、畑澤が得意とするこの会議もののフォーマットは、高校演劇作品『最終試験場の9人』、『生徒総会』、『生徒総会05』、そして、渡辺源四郎商店開店準備公演の演目としても選ばれた『俺の屍を越えていけ』でも使用されている。

『俺の屍《かばね》を越えていけ』あらすじ　舞台は、青森市に本社を置く老舗の放送局。小会議室に、各部から選抜された六人の社員が集められた。いずれも入社五年以内の若手である。彼らは社長より密命を与えられていた。「リストラする管理職を一名、若手社員の代表による話し合いで決定しなさい」それぞれの思惑が交錯する中、六人は気の重い話し合いを始めるのであった……。

この作品の短編バージョンは、日本劇作家大会2005熊本大会・短編戯曲コンクール最優秀賞を受賞しているのだが、今なお、全国の劇団から上演許可願いがひきもきらない。集められた六人の若手社員が、リストラする古株社員を一人決めるというこのシンプルな筋立ては、笑いのうちに、仕事、会社、仲間、ライバル、恋愛、ひいては民主主義の是非まで問う。そして、どんなに話し合っても結果が出ないときに浮上するのが、「多数決」の問題である。

畑澤の初期作品における多数決という意思決定方法への不審感は、学校現場で培われたものか、全く別の人間関係において蓄積されたものかはわからない。だが、単純な多数決によってこぼれ落ちてしまう少数意見への目配り、多数派による少数派の無視に対する強い嫌悪があることは確実に感じ取れる。それは他者を想う優しさであり、畑澤が「社会派人情作家」と称される所以でもあると、私は思う。

二〇一一年四月に畑澤自身が初演出した渡辺源四郎商店第35回公演『親の顔が見たい』も、一種の会議ものである。劇団昴ザ・サード・ステージの依頼で、二〇〇八年に書き下ろしたこの作品から、高校生が加害者の子供も親も演じる高校演劇作品『ともことサマーキャンプ』も生まれた。

『親の顔が見たい』あらすじ　都内カトリック系私立女子中学校会議室。そこに集まる数人の父兄達。彼らは、いじめ自殺死した子供の遺書に名前が書かれていた、いじめ加害者の親たちである。それぞれ、年齢も、生活環境も、職業も違う親たちは、身勝手な事情から我が子を庇護する事に終始する。怒号飛び交う会議室。子供達のいじめを通して、それぞれの親たちの「顔」が浮き彫りになる。

最初の打ち合わせ時、その前に畑澤が書き下ろしをした『猫の恋、昴は天にのぼりつめ』のような人情味あふれるライト・コメディのイメージで話が進んでいたが、ふとしたことから、演出の黒岩亮氏（劇団青年座）が「学校現場」「いじめ」というキーワードを発し、畑澤の執筆衝動に火がついた。

第12回鶴屋南北戯曲賞にノミネートされたこの作品は、原点である「会議もののウェルメイド」のフォーマットを用いながらも、決して安易な解決を提示することはない。我が子を守りたい親たちの愛がエゴとして衝突する様は、社会派人情劇『どんとゆけ』『あしたはどっちだ』のドロドロの様相を呈する。去り際、それぞれの登場人物が花道をはけるように見せ場があるのは、いかにも畑澤らしい『俺の屍を越えていけ』風の醍醐味である。

畑澤の興味、自分はこういう芝居が観たいのだという演劇観、執筆テクニック、何かが違うというこだわり……ディスカッションで煮詰まり、長い沈黙が終わったあと、足りないピースが天から降ってくる。そして、すべてのピースがすべてカチッとはまったと感じる瞬間がある。カチッ。その音は、これはいけると作品の成功を予感させる手応えの音なのである。

3. 東日本大震災、そして、原発、放射性廃棄物処分地

多くの作家がそうであるように、畑澤もまた、二〇一一年三月十一日に起こった東日本大震災の惨状を前に自身の無力さを痛感し、筆が止まった時期があった。同じ青森県でも八戸市は津波の被害も大きかったが、渡辺源四郎商店が本拠地を置く青森市はせいぜい二、三日停電したり、ガソリンが手に入りづらくなった程度。岩手県、福島県、宮城県のような甚大な被害はなかった。心配され、安否確認される度、青森市民はみな少し複雑な胸中に陥ったのである。

ちょうどそのとき、渡辺源四郎商店は前述の『どんとゆけ』『あしたはどっちだ』の稽古の真っ最中だった。また、畑澤個人としては、十一月公演を控えた劇団民藝への初の書き下ろし『カミサマの恋』（演出：丹野郁弓、主演：奈良岡朋子）の執筆中で、頭の中では、死刑と被害者の応報感情とカミサマ（津軽のシャーマン）が渦巻いていたはずである。カミサマ、イタコ、癒し……もし、同時期に『カミサマの恋』の締め切りを抱えていなかったら、遺された者こそが必要とする癒しを描いた『もしイタ〜もし高校野球の女子マネージャーが青森の「イタコ」を呼んだら』は生まれなかったかもしれないと、私は推測する。同じ東北にあっても被災者ではない自分たちに、何ができるのか。どんな表現が許されるのか。どんな芝居なら伝わるのか。圧倒的な死の前に立ち尽くした畑澤が、３・11後に最初に書き上げたのは、その、高校演劇作品、

通称『もしイタ』だったのだ。

『もしイタ〜もし高校野球の女子マネージャーが青森の「イタコ」を呼んだら』あらすじ　青森市にある某県立高校。二〇一一年五月、その野球部に一人の女子マネージャーが入部する。彼女は一年生の頃、陸上部に入部しており、やり投げでインターハイに出場したほどの選手だったが怪我のため現役を断念し、しかも陸上部が廃部になったため、二年生のこの時期に野球部に入部したのだ。しかし肝心の野球部は部員が八人しかおらず、やる気のかけらもない。一念発起した新人マネージャーは部員勧誘に乗り出し、ある転校生に目を留める。彼は被災地の学校からこの春転校してきたばかりで、前の学校では野球部に所属していたという。「野球は辞めた」と言いはる彼をなんとか説得した彼女は「今度はちゃんとしたコーチに来て貰おう」と学校に掛け合う。しかし、やってきたコーチはなんと、盲目の老婆、イタコ！「ワの言うことを聞げば絶対甲子園さ行げる」と宣言するが……。

東日本大震災によってチームメイトや家族を失い、青森に転校してきた主人公の成長を描くこの作品は、「同じ東北でも被災地ではない、だから、被災地の人々を演劇で元気づけたい」という部員の気持ちに畑澤が応えたものだ。演出のすべてが、青森中央高校演劇部が被災地応援ツアーを行うための事情と関係する。

避難所として使用された体育館や集会場での、上演しやすさが前提である。バスで着いたら真っ先に会場を掃除し、客席用のパイプ椅子も自分たちで並べる。ゲネも場当たりもやらない。ホール上演の際は地明かりをつけるが、効果音やBGMはすべて肉声のまま。衣裳もTシャツと学校指定のジャージ。「どこでも上演できる」ように、運搬や設置に時間やお金のかかる舞台装置や小道具類は一切用いず、俳優の身体性だけが武器のこの作品が放つ生命力は、何度観ても、いつも観客に元気とパワーを与えてくれる。

演劇の神様は、この作品に日本一の称号を与えてくれた。全国大会（第58回全国高等学校演劇大会・二〇一二年・富山市）で最優秀賞を受賞した際、審査員の西堂行人氏をして「二〇一一年にこういう作品が生み出されたことは、事件」とまで言わしめた。

青森中央高校演劇部は、『もしイタ』被災地応援ツアーを二〇一一年九月から二〇二一年一月現在の今なお続けている。全国の二十二都府県五十一市町にて通算一〇五ステージ上演された（フェスティバル／トーキョー14招聘、韓国ソウルのフェスティバル・ボム招聘を含む）。また、二〇一九年七月には、青森中央高校体育館で『もしイタ』初演から現役まで九世代の『もしイタ』OB・OGによる通算一〇〇ステージ記念公演『もしイタ100』も行われた。被災当事者ではない立場から、震災とどう向き合い続けるのか。すべての公演受け入れ先と一つずつ丹念に交渉し、顧問として引率する畑澤の表現者としての矜恃と回答が、この長い上演リストの中にある。

〈その他の主な上演〉

2011・10 八戸公演／八戸シーガルビューホテル体育館（八戸市）
2011・11 気仙沼公演／気仙沼市立面瀬中学校ホール（宮城県気仙沼市）
大船渡公演／大船渡市民交流館カメリアホール（岩手県大船渡市）
釜石公演／旧釜石商業高校体育館（岩手県釜石市）
2011・12 久慈公演／久慈市文化会館アンバーホール（岩手県久慈市）
2012・3 下松公演／スターピアくだまつ（山口県下松市）
2012・6 仙台公演／六郷市民センター体育館（宮城県仙台市）
利府公演／十符の里プラザ文化ホール（宮城県利府町）
宮古公演／近内地区センター（岩手県宮古市）
2012・8 白山公演／白山市松任文化会館（石川県白山市）
2012・10 全国大会最優秀賞記念公演／青森市民ホール（青森市）
2013・2 高松公演／サンポート高松第1小ホール（香川県高松市）
2013・5 盛岡公演／おでってホール（岩手県盛岡市）
2013・6 陸前高田公演／未来商店街多目的ホール（岩手県陸前高田市）
石巻公演／石巻中央公民館（宮城県石巻市）
弘前公演／弘前中三スペースアストロ（弘前市）
2013・8 夏の全国ツアー／国立オリンピック記念青少年総合センター（東京都渋谷区）

夏の全国ツアー／宇都宮市文化会館（栃木県宇都宮市）
夏の全国ツアー／すばるホール（大阪府富田林市）
夏の全国ツアー／箕面メイプルホール（大阪府箕面市）
夏の全国ツアー／池田市民文化会館（大阪府池田市）

2013・11　冬の全国ツアー／大船渡高校体育館（岩手県大船渡市）

2013・12　全国高文連研究大会／秋田キャッスルホテル（秋田県秋田市）

2013・12　冬の全国ツアー／小美玉市四季文化会館（茨城県小美玉市）

2013・12　冬の全国ツアー／大東コミュニティセンター（岩手県一関市）

2014・6　山元公演／山元町立山下小学校（宮城県山元町）
仙台公演／仙台市立仙台大志高校（宮城県仙台市）
野々島公演／野々島ブルーセンター（宮城県塩竈市浦戸野々島）
能代西高校芸術教室／能代市民会館（秋田県能代市）

2014・7　茅ヶ崎公演／茅ヶ崎市民文化会館（神奈川県茅ヶ崎市）

2014・11　佃中学校芸術教室／佃中学校体育館（青森市）
国民文化祭あきた／康楽館（秋田県小坂町）
前橋公演／群馬会館（群馬県前橋市）
フェスティバル／トーキョー14／にしすがも創造舎（東京都豊島区）

2015・3　福島公演／福島県文化センター（福島県福島市）

2015・4　芸術のミナト☆新潟演劇祭／りゅーとぴあ（新潟県新潟市）
ソウル公演／元墨高校視聴覚室（韓国・ソウル特別市）
フェスティバル・ボム／アートスペース・ムラエ（韓国・ソウル特別市）
2015・07　寺山修司演劇祭2015／星野リゾート 青森屋（三沢市）
2015・8　夏の全国ツアー／郡山市民文化センターリハーサル室（福島県郡山市）
夏の全国ツアー／いわき芸術文化交流館アリオス小劇場（福島県いわき市）
夏の全国ツアー／国立オリンピック記念青少年総合センター（東京都渋谷区）
英語字幕公演／ねぶたの家ワ・ラッセ（青森市）
2016・08　南伊勢公演／ふれあいセンターなんとう（三重県南伊勢町）
津公演／三重県総合文化センター（三重県津市）
2016・10　五所川原公演／七和福祉プラザ（五所川原市）
2016・11　盛岡公演／盛岡劇場タウンホール（岩手県盛岡市）
2017・7　九州ツアー／都城市総合文化ホールMJ（宮崎県都城市）
2017・7　九州ツアー／水前寺共済会館グレーシア（熊本県熊本市）
2017・7　九州ツアー／サザンクス築後（福岡県筑後市）
2017・10　女川公演／女川町まちなか交流館（宮城県女川町）
2018・6　第1回なべげんイタコ演劇祭／青森県総合社会教育センター（青森市）
2018・8　伊丹公演／アイホール（伊丹市立演劇ホール）（兵庫県伊丹市）

2018・9　二戸公演／二戸市文化会館中ホール（岩手県二戸市）
2018・10　鹿角公演／鹿角市立花輪第二中学校体育館（秋田県鹿角市）
2018・11　木造高校芸術教室／木造高校体育館（つがる市）
2019・6　石巻公演／みやぎ生協文化会館「アイトピアホール」（宮城県石巻市）
2019・7　通算100ステージ記念OBOG公演／青森中央高校第一体育館（青森市）
2019・8　AOMORI SIXフェスティバル特別公演／アウガ五階AV多機能ホール（青森市）
2019・9　達人セミナー記念演劇公演／比内中学校体育館（秋田県大館市）
2019・10　造道中学校芸術鑑賞教室／造道中学校体育館（青森市）
2019・10　横内中学校芸術鑑賞教室／横内中学校体育館（青森市）

〈コンクール上演〉
2011・9　第3回東青・下北支部演劇合同発表会／明の星ホール（青森市）最優秀賞
2011・10　第32回青森県高校総合文化祭演劇部門／八戸市公民館ホール（八戸市）最優秀賞
2011・12　第44回東北地区高等学校演劇発表会／山形市民会館大ホール（山形県山形市）最優秀賞
2012・8　第58回全国高等学校演劇大会／富山県民会館（富山県富山市）※最優秀賞、

2012・8　第23回全国高総文優秀校東京公演／国立劇場大ホール（東京都千代田区）
文部科学大臣奨励賞

では、次に、『もしイタ』以降、畑澤が東日本大震災の影響を受けて執筆した五作品について考えてみよう。

2011　渡辺源四郎商店第14回公演『エクソシストたち』（作・演出：畑澤聖悟　アトリエ・グリーンパーク（青森市）、こまばアゴラ劇場（東京都目黒区））

2012　渡辺源四郎商店第15回公演『翔べ！原子力ロボむつ』（作・演出：畑澤聖悟　アトリエ・グリーンパーク（青森市）、ザ・スズナリ（東京都世田谷区））

2012　架空の劇団×渡辺源四郎商店合同公演『震災タクシー』（作・演出：くらもちひろゆき、畑澤聖悟、工藤千夏　九〜十二月　アトリエ・グリーンパーク（青森市）、長久手文化の家風のホール（愛知県長久手市）、盛岡劇場タウンホール（岩手県盛岡市）、こまばアゴラ劇場（東京都目黒区）、いわき芸術文化交流館アリオス小劇場（福島県いわき市））

2014　渡辺源四郎商店第19回公演『エレクトリックおばあちゃん』（作・演出：畑澤聖悟　ねぶたの家ワ・ラッセ　イベントホール（青森市）、ザ・スズナリ（東京都世田谷区））

2014　フェスティバル／トーキョー14『さらば！原子力ロボむつ～愛・戦士編～』（作・演出：畑澤聖悟　青森中央高校第1体育館（青森市）、にしすがも創造舎（東京都豊島区））

渡辺源四郎商店第14回公演『エクソシストたち』は、遺された者が何を抱えて生きていくのかを描いた作品である。畑澤の初期作品『月の二階の下』（二〇〇二年）をベースに、震災後を生きる家族の物語に書き換えた。震災が起ころうと起こるまいと、人間が抱える心の闇は変わらない。津波により引き裂かれた被災者家族の心の闇を非被災者である作家はどう描くか、悩み抜いた作品だった。

第57回岸田國士戯曲賞最終候補にノミネートされた『翔べ！原子力ロボむつ』は、ポスト3・11の原子力政策と日本人を描いた近未来ＳＦである。

『翔べ！原子力ロボむつ』あらすじ　近未来。ある北の町が高レベル核廃棄物の最終処分場となった。無害になるまで十万年。核のゴミを誰が見届けるのか？　そして誕生する原子力ロボット「むつ」。むつは人類を救えるのか？

日本最大の演劇フェスティバルであるフェスティバル／トーキョー14に招聘され、上演した

『さらば!原子力ロボむつ〜愛・戦士編〜』は、この『翔べ!原子力ロボむつ』渡辺源四郎商店版と第60回全国高等学校演劇大会優秀賞の青森中央高校版をベースに改変、パワーアップした作品である。渡辺源四郎商店、客演俳優、青森中央高校演劇部総勢四十一名が出演した。渡辺源四郎商店で実践してきた現代口語演劇（俳優が日常生活で話していることばを話す）と、『もしイタ』で獲得したフィジカル志向のスペクタクルな演出が融合した瞬間である。

二〇一二年から二〇一四年、二年の月日が流れ、畑澤が非被災者として描くべきだと考える対象は、「津波」「地震」から「原発」「放射性核廃棄物」へと移行していった。被災地の未来を憂うちに、地元青森県の将来を本気で心配し始めたという見方もできる。青森県には、日本原燃（株）によりウラン濃縮工場、低レベル放射性廃棄物埋設センター、高レベル放射性廃棄物貯蔵管理センター、再処理工場、MOX燃料工場がある。核のゴミを押し付けられ、青森県が最終処分場になる可能性を完全に否定することはできない。東日本大震災から十年たった今なお、解決の目処がたっていない放射性廃棄物の問題は、畑澤が取り組み続けなければならないと考えている優先課題の一つである。

だが、畑澤は反原発のメッセージを声高に叫ぶために『ロボむつ』シリーズや『エレクトリック』シリーズを書いたわけではない。原発の存在をどう捉え、考えるかは、あくまでも芝居を観終わった観客に委ねられる。畑澤は、むしろ、最終処分場を誘致する若き町長に寄り添うようにドラマを進めていく。次世代に核のゴミを丸投げしないためにコールド・スリープを繰り返す町長が、放射性廃棄物の有害度が天然ウラン並みになる十万年という歳月の中で人類の興亡を孤独に見つめ続けるその姿が提示されたとき、観客は静かに戦慄する。

ちなみに、畑澤がSF作品で青森県と東京との関わりを描くとき、逆転現象として、必ず青森が東京を支配しているのは興味深い。『ロボむつ』シリーズでは東京者は奴隷と化し、『小泊の長い夏』では、地球温暖化が進み過ぎて東京は沈没し、青森でパイナップルがたわわに実っている。

「架空の劇団」主宰の劇作家くらもちひろゆきの二〇一一年三月十一日、十二日の実体験を元に共作した『震災タクシー』（作・演出：くらもちひろゆき、畑澤聖悟、工藤千夏）は、二〇一三年、くらもちひろゆきが第11回盛岡市民演劇賞創作戯曲部門を受賞した。「架空の劇団」の本拠地である盛岡もまた、被災の被害が少なく、三人の作家の間で被災者／非被災者の当事者性についての議論が活発に行われた。

その議論は、畑澤の内部でくすぶり続ける。日本中の電力をまかなえるほどのパワーで自ら発電するおばあちゃんを描いた『エレクトリックおばあちゃん』について、畑澤は「いわゆる被災三県に含まれない青森県に住む我々にとって3・11の当事者性とはなんだろう。本作は『翔べ！原子力ロボむつ』に続くこの問いの答えである」と、語っている。

この作品を青森中央高校演劇部のためにリライトした高校演劇版が『エレクトリック女子高生』であるが、『翔べ！原子力ロボむつ』高校演劇版同様、青森県における原子力政策というモチーフへの強いこだわりが見てとれる。いずれも、上演時間一時間という高校演劇コンクールの制約のために戯曲をリライトする上で、よりシャープに研ぎ澄まされていくのは必然だが、次世代の幸福を考慮しない大人たちの愚行を描くとき、高校生が演じることによって、作品世界がより強化されることも書き添えておこう。

ところで、『エレクトリックおばあちゃん』を創作していた時期、本拠地であるアトリエ・グリーンパークが公演会場としては使えなくなり、公共ホールでの上演を余儀なくされた。稽古場に本番通りの舞台セットを組み、稽古を重ねて作品を仕上げてきた渡辺源四郎商店にとって、地元での公演であるにも関わらず、旅公演同様に公共ホールを短期間借りて上演するということは、経済的にも精神的にも大きな負担であった。いつもなら、本番ギリギリまで台本の推敲を重ねる畑澤も、このときばかりは、早々と稽古場で劇作家モードから演出家モードに切り替えたのが印象に残っている。現在の渡辺源四郎商店しんまち本店が三カ所目のアトリエで、十五年間に三度も移転とセルフビルドを繰り返すことになった話は、また別の機会に。

閑話休題。二〇一六年、畑澤は高校演劇作品『ジンコちゃんの世界』を執筆する。

『ジンコちゃんの世界』あらすじ　たった一匹から始まった十日間の王国。ミジンコの「宇宙」を見つめる女子高生サチコ。二つの世界を舞台に繰り広げられる生命の物語。

被災しなかった者が被災者にどう寄り添うか、『もしイタ』が提示した方法が、東日本大震災から五年の歳月を経て、ミクロの世界をマクロで描く壮大な生命讃歌へと昇華した。

二〇二〇年、ウェブ開催となってしまった第66回全国高等学校演劇大会に、愛知県立津島北高校がこの作品で出場したが、東日本大震災のみならず、あらゆる死に対する悲しみを凌駕するこの生命の物語は、これからも長く高校演劇の世界で上演され続けるだろう。

ちなみに、『ジンコちゃんの世界』のミドリムシが分裂して無限に増えるシーンは、三十四人の部員中、女子が二十七人でしかも大体身長が同じ（小柄）ことから生まれたそうだ。『もしイタ』以来の「全員演劇」で、ベンチを温める演劇部員がいない、俳優を志すものがみな舞台に立てるようにする畑澤の劇作事情が生んだ名シーンである。

4. 郷土愛——非青森人の愛県心

『みなぎる血潮はらっせらー』は、畑澤が二十世紀末（!）に執筆したラジオドラマ『県立戦隊アオモレンジャー』の脚本家を主人公にした作品である。

まずは、前提となるそのラジオドラマについて説明しよう。『県立戦隊アオモレンジャー』は、RAB青森放送制作のラジオ番組「金曜ワラッターMOTEMOTE大放送」枠内で、一九九七年から一九九九年に渡り、不定期に制作・放送されてい全七話のラジオドラマシリーズである。高校教員となり、秋田から青森に転居した畑澤が、「なぜ、青森県の高校生は青森には何もないとディスり続けるのか」疑問に思い、愛県心を「注入」するべきと考えたのが執筆のきっかけだ。
戦隊もの／テレビヒーロー番組のパロディというフォーマットのこの作品は、一九九九年、平成11年度日本民間放送連盟賞ラジオ娯楽番組部門最優秀賞を受賞、全国的に話題になった。インターネットラジオなどまだなかったため、録音したカセットテープが全国のファンの間で流通したとか。今でこそ全国津々浦々にローカルヒーローがいるが、二十年前にはそんなふざけたことを好む地方自治体は皆無であった。ラジオドラマであるにも関わらず、着ぐるみも製作され、各種イベントで活躍したことからも、その人気のほどが知れる。先進性とディテールの緻密さでローカルヒーローの嚆矢として、今なお語り継がれている。
渡辺源四郎商店でも、何度もリーディング上演し、コロナ禍の二〇二〇年秋には、AOMORI ARTS FES 青森市文化芸術創造活動緊急対策事業として、なべげん目で見るラジオドラマ劇場『県立戦隊アオモレンジャー復刻版２０２０』を配信した。

第壱話『アオモレンジャー誕生！陸奥湾に吠えるナマハゲ』あらすじ　観光客で賑わう青森観光物産館「アスパム」が、突如ナマハゲの大群に襲われる。ＮＯＫＩＯ秋田支部の放った刺客である。アオモレンジャーは「整備新幹線バズーカ」や巨大ロボット「タムラマロ」を駆使して、見事ナマハゲを撃退する。

第弐話『蕪島わんこそば対決！逆襲の銀河鉄道』あらすじ　県南の中心都市八戸をＮＯＫＩＯ

岩手支部の「わんこそば男」が襲う。罪のない青森県民が次々と、わんこそばを詰め込まれ倒れていく。アオモレンジャーはわんこそば男の操る「賢治ロボ」「銀河鉄道」に対抗し、「太宰ロボ」を出動させる。そして太宰ロボの最終兵器「スーパー入水心中」が炸裂するのだった。

このエンターテインメント作品を『母と暮せば』や『親の顔が見たい』と同じ作者が書いたのかと驚かれる方も多いだろうが、畑澤ワールドは、笑いも悲しみも強さも、何もかもが「とことん」なのである。

『みなぎる血潮はらっせらー』は、このラジオドラマを元に、二〇一〇年、渡辺源四郎商店の旅公演コンテンツとして開発された。そう、書斎での「執筆」より、ラボでの「開発」という形容がふさわしい。全国各地で乗り打ち（劇場入りしてすぐに公演すること）しやすいように、少人数で旅に出る。出演者は畑澤以外に二人だけ。照明と音響も舞台上でプレイする。ミニマムなセットで極限で抽象化した世界で、県立戦隊アオモレンジャーの隊員リンゴレッドの衣裳に身を包んだ主人公（畑澤）以外の女優二人が、衣裳やメイクを変えずに二十役以上を早変わりで演じる。俳優が演じるということの極限を追求したこの作品は、後日、『もしイタ』の演出に大きな影響を与えることになる。

「渡辺源四郎商店らっせらープロジェクト」の共通ヴィジュアルを創る際、私はこの作品のイメージ・ビジュアルに次のようなキャッチコピーを添えた。「父よ！　守るべきは家庭か、青森の平和か。」愛県心をテーマにしたエンターテインメント『県立戦隊アオモレンジャー』は、郷土愛のみならず、家族愛、演劇愛が満ちあふれた演劇作品に昇華した。

『みなぎる血潮はらっせらー』あらすじ　戦隊もののコスチュームを身にまとった中年男性が、青森市の観光物産館ビル・アスパムの壁面を登ろうとして逮捕された。二人の刑事による取調中、黙秘を貫いていた男がやがて口を開き、自分は青森県知事に任命された県立戦隊アオモレンジャーのメンバーであり、攻めてくる他県から青森県を守っているのだと主張する。戦いの様子を語り聞かせるうちに、これまでの戦いの自分の過去が、家族との関係が徐々に明らかになっていく……。

〈上演歴〉

2009・12　渡辺源四郎商店第11回公演／らっせらープロジェクトVol. 1アトリエ・グリーンパーク（青森市）

2010・2　渡辺源四郎商店第11回公演／らっせらープロジェクトVol. 2四国学院大学ノトススタジオ（香川県善通寺市）※文化庁の地域文化芸術振興プラン　香川県内の高校生対象のWS実施

2010・6　渡辺源四郎商店の蔵出し芝居　その壱／らっせらープロジェクトVol. 3音蔵こみせん（青森県黒石市）

２０１０・10　渡辺源四郎商店帯広公演／らっせらープロジェクトVol. 4 北海道　演研・茶館工房（北海道帯広市）※高文連十勝支部演劇ゼミナール主催の高校生対象ＷＳ実施

２０１２・２　渡辺源四郎商店らっせらープロジェクトVol. 5 福岡／大野城まどかぴあ（福岡県大野城市）※大野城まどかぴあ主催の高校生対象ＷＳ、一般対象ＷＳ実施

２０１３・１　渡辺源四郎商店らっせらープロジェクトVol. 6 埼玉／富士見市民文化会館キラリ☆ふじみ（埼玉県富士見市）※富士見市民文化会館キラリ☆ふじみ主催の高校生対象ＷＳ、一般対象ＷＳ実施

２０１３・９　渡辺源四郎商店らっせらープロジェクトVol. 7 岩手／西和賀町文化創造館銀河ホール（岩手県西和賀町）※第21回銀河ホール地域演劇祭参加

２０１５・２　渡辺源四郎商店第20回公演／渡辺源四郎商店らっせらープロジェクトVol. 8／渡辺源四郎商店しんまち本店（青森市）※青森市戦略的中心市街地活性化事業補助金活用事業

２０１５・10　第30回国民文化祭かごしま二〇一五現代劇の祭典／渡辺源四郎商店らっせらープロジェクトVol. 9 鹿児島／谷山サザンホール（鹿児島県鹿児島市）

このリストにあるように、すでに七道県で上演されたのだが、渡辺源四郎商店は全都道府県

で上演することを目標に掲げ、白地図上で制覇した都道府県に色を塗り、事務所に貼っている。受け入れ先の劇場に提出する上演企画書には、上演場所にちなんだ「敵」を必ず設定し、アオモレンジャーとの闘いの場面がその都度、新規で挿入されると明記されている。これは、上演地の観客にもまた、自身が暮らす場所を愛する気持ちを満足させて欲しいという畑澤のサービス精神に基づいている。

ところで、畑澤聖悟の故郷が青森県ではなく、秋田県であることは意外に知られていない。まあ、東北以外に暮らす人々にとっては、青森も秋田もそのイメージに大差はないのかもしれないが、青森に対する畑澤の偏愛にも似た思い入れの強さは、対戦型エッセイ『アウガで会うが?』(二〇〇五年、畑澤聖悟と工藤千夏が東奥日報朝刊に交互に連載。企画集団ぷりずむ刊行)に詳しい。このリレーエッセイで、畑澤は「青森は一流の田舎であり、二流の都会が一流の田舎にかなうわけがない」という持論を展開する。秋田県出身だが青森市在住の畑澤と、青森市出身だが東京都在住の私がローカリティとグローバリティに関して論戦を繰り広げる中、生まれ故郷である秋田に対する思いについて質問しても、はぐらかされてばかりだった。私は、畑澤が非青森県出身者だからこそ、青森県を美化し、その自らが創り出したイメージにあこがれ、青森県人より強く青森県を愛するのではないかという仮説をたてている。連載再開の機会があれば、太宰や寺山のように近親憎悪の傾向がある我が身と合わせて考察してみたいのだが。

この郷土愛の項で、最後に触れておきたいのが、中学生・高校生向けのワークショップで芝居を作り上げる中高生がふるさとを知る、演じる、考える演劇公演「青森市ものがたり」である。これは、演劇教育で地域社会に貢献する、畑澤にとっても非常に重要なプロジェクトである。ねぶた、青函連絡船、宗方志功などの青森市ならではのモチーフが選ばれ、参加する中高生の作文、キーワードを調べての発表、エチュードを畑澤が構成・演出する。このワークショップが、出演者の家族でもなんでもない一般の大人の観客が観ても普通に面白い、すこぶるクオリティの高いエンターテインメント作品として完成するのである。『県立戦隊アオモレンジャー』を書かなければならないと決意した畑澤の愛県心と育成欲が、ここでも炸裂する。これもまた、書斎でパソコンに向かって戯曲を練り上げるのではなく、稽古現場、ワークショップの現場で一挙に芝居を立ち上げる畑澤独特の創り方である。

2016・6　「青森市ものがたり」リンクモア平安閣市民ホール（青森市）
2017・8　「青森市ものがたり～わたしがねぶたをハネるまで～」リンクモア平安閣市民ホール　※協力：青森市文化観光交流施設ねぶたの家ワ・ラッセ（青森市）
2018・8　「青森市ものがたり～海とわたしと八甲田丸～」リンクモア平安閣市民ホール　※協力：特定非営利活動法人あおもりみなとクラブ、青函連絡船メモリアルシップ八甲田丸（青森市）
2019・8　「青森市ものがたり～ワもナもゴッホ～」リンクモア平安閣市民ホール（青森市）　※協力：棟方志功記念館

※主催は、二〇二〇年から一般財団法人青森市文化観光振興財団、二〇一九年までは一般財団法人青森市文化スポーツ振興公社
※二〇二〇年は新型コロナウィルス感染拡大の影響により休止。二〇二一年は「青森市ものがたり〜縄文、みなと、らっせらー〜」を八月に開催予定。

5. 青函連絡船で漕ぎ出す時空の海

「青森市ウォーターフロント活性化ビジョン」作成の検討委員に就任していた畑澤は、二〇一二年、青森市の市民劇制作を委嘱された。「青函連絡船メモリアルシップ八甲田丸」を管理するNPO法人あおもりみなとクラブが主催、青森市が共催する世代交流あおもり市民劇である。ミュージーアム・シップとして青森港に係留保存されている青函連絡船八甲田丸の車両甲板で、青函連絡船の歴史を描く市民劇を上演するというユニークな企画で、青森市内のみならず、全国の評判を呼び、結果として3年連続上演となった。

2012・10　世代交流あおもり市民劇『八甲田丸の1700万人』
2013・10　世代交流あおもり市民劇2013『私と空と八甲田丸』

２０１４・10　青函連絡船八甲田丸就航50周年記念 世代交流あおもり市民劇２０１４『八甲田丸 50歳の船出』

青函連絡船とは何か。明治四十一年（一九〇七）から昭和六十三年（一九八八）までの八十年間、津軽海峡を横断し、青函トンネルができるまで本州（青森市）と北海道（函館市）とを結んだ船である。鉄道をそのまま搭載する車両甲板があり、世界でも希少な鉄道連絡船だった。青函連絡船の歴史は、単なる鉄道史にとどまらず、日本の近代史とリンクしている。

畑澤は、青函連絡船の拠点である交通都市である青森市と函館市がどのように発展したのか、また、同じ昭和六十三年三月十二日に青函トンネルを通る津軽海峡線が開業し、青函連絡船が終航したという事実にまず強い興味を覚えた。世代交流あおもり市民劇三部作は、青函連絡船メモリアルシップ八甲田丸の三四年の歴史をひもとく試みとなる。

『八甲田丸の１７００万人』は、終航する一九八八年三月十二日を間近に控えた八甲田丸船内の乗客や乗組員たちのドラマをグランドホテル形式で描いた作品である。

『私と空と八甲田丸』は、逆に、ファーストラン。八甲田丸が就航した一九六四年八月十二日の八甲田丸船内を舞台に、東京五輪の聖火を北海道から青函連絡船で運ぶ打ち合わせシーンのみならず、出演者全員が踊る五輪音頭や植木等（宮越が演じた！）の「およびでない！」まで飛び出し、高度成長期の日本、そして好景気に踊る日本人たちが愛した青函連絡船の姿をエンターテインメントとして描いた。

『八甲田丸50歳の船出』は、青函連絡船保存運動の甲斐なく終航が決定し、ラストランの日に不貞寝をしている男の話と、「海峡の七姉妹」と呼ばれた津軽丸II型の青函連絡船たちの姉妹のおしゃべりのシーンが交互に現れるヒューマン・ドラマ。この、青函連絡船を擬人化して青函連絡船の歴史を描くという発想と演出は、翌二〇一五年の渡辺源四郎商店第22回公演『海峡の7姉妹～青函連絡船物語～』に引き継がれ、東京、函館、青森の三都市で上演される。畑澤にとっても、渡辺源四郎商店にとっても重要なレパートリーが生まれたのである。

船の被り物をかぶって「おかえり、津軽丸ねーちゃん!」「お誕生日おめでとう、八甲田丸!」などと言い合うのはコントではないのか、どんな演劇になるのか想像もつかないという方もいるかもしれない。だが、芝居が進むと、多くの観客が津軽海峡を航行する七姉妹に感情移入し、ラストシーンではその波乱の人生（!）に涙をこぼすのだ。この演劇マジックを使えば、実際に海を走る青函連絡船を見たことのない若い世代も、青函連絡船の存在を身近に感じることができる。それに気づいた畑澤は、演劇を通して次世代に青函連絡船の歴史や人々の記憶を語り継ぐことが、自分の使命だと考えるようになった。

二〇一八年、前述の中高生がふるさとを知る、演じる、考える演劇公演『青森市ものがたり～海とわたしと八甲田丸～』では、青函連絡船を取り上げる。なぜ、動くことをやめた古い船が青森駅近くの港に係留保存されているのか、その意味がわからなかった中高生が、船を演じることで、青函連絡船があったからこそ発展した青森市の歴史に驚くほど興味を持ち、船が往来していた時代に思いをめぐらし、青函連絡船メモリアルシップ八甲田丸を大切に思うようになった。
青森中央高校演劇部は、その公演にも参加していた。畑澤は、演劇部が『もしイタ』だけでなく、二〇一五年以来、毎年取り組み続けている青森空襲劇『7月28日を知っていますか？』とリンクさせ、八十年の青函連絡船史を描こうと思いたつ。試行錯誤の末、太平洋戦争時の青函連絡船にフォーカスし、戦時標準船である第八青函丸を主人公とする高校演劇作品『藍より青い海』が誕生した。

『藍より青い海』あらすじ　太平洋戦争のさなか、青函連絡船は国家の血液たる石炭輸送を担っていた。ここで投入されたのが耐用年数や運航性能、安全性を軽視した工期短縮と資材節約で生み出され「使い捨て」と揶揄された「W型戦時標準船」。第八青函丸とその「姉妹たち」の奮闘を描く。

『藍より青い海』は、太平洋戦争終戦間近の津軽海峡で、米軍の空襲により青函連絡船が全滅したという史実を、人の幸せを運ぶための船が戦争の道具となり果てた悲劇として、船を擬人化する手法をとった異色作である。二〇一八年十二月の第51回東北地区高等学校演劇発表会（於：秋田市文化会館大ホール）で優秀賞を受賞し、二〇一九年三月に第13回春季全国高等学校演劇研究大会に東北ブロックの代表として選出された。愛知県の穂の国とよはし芸術劇場ＰＬＡＴで、史実を知らないばかりか、青森にも函館にも縁もゆかりもない高校生や観客たちが、第八青函丸の、第七青函丸の戦いに涙し、平和を願う気持ちに寄り添ったその功績は大きい。

他に、二〇一六年三月に、北海道新幹線開業記念［演劇］『海峡の7姉妹〜青函連絡船物語（ショートバージョン）』を青函連絡船メモリアルシップ八甲田丸多目的ホールで上演したり、NHKの地域発ドラマ『進め！青函連絡船』の脚本を担当したこともあり、二〇一九年、畑澤は仲間を募り、一般社団法人「進め青函連絡船」を立ち上げ、劇団「渡辺源四郎商店」での活動以外に、青函連絡船を語り継ぐ活動を本格的に継続する決意を固めた。

一般社団法人「進め青函連絡船」と劇団「渡辺源四郎商店」が手を携えて、創り上げた最初の書き下ろし作品が、渡辺源四郎商店第34回公演『洞爺丸ものがたり』である。

『洞爺丸ものがたり』あらすじ

洞爺丸《とうやまる》は、運輸省鉄道総局（当時の国鉄）がGHQの許可を得て建造した車載客船四隻の第一船である。戦後初の本格大型客船であり、「海峡の女王」と呼ばれた洞爺丸は一九五四年（昭和二十九）九月二十六日、台風十五号（洞爺丸台風）の暴風と高波により転覆・沈没。死者・行方不明者あわせて一一五五名という、日本海難史上かつてない事故を起こした悲劇の船として、歴史に名を残すことになるのだった。

設定はテレビ局のスタジオ。ファミリー・ヒストリーをたどるバラエティ番組にゲスト出演する洞爺丸、番組の司会は八甲田丸と摩周丸（二代目）。洞爺丸台風の悲劇のヒロインとしか知られていない洞爺丸のさまざまな過去の栄光を紹介しながら、青函連絡船の最終進化形である八甲田丸や摩周丸（二代目）がなぜ誕生することになったか、いつしか、番組は洞爺丸だけではなく、青函連絡船の発展の歴史を俯瞰している。

畑澤は冗談めかして、世界で一番、青函連絡船のことを書いている劇作家だと自負する。青函連絡船八甲田丸の就航日を誕生日に持つ畑澤が、青函連絡船ドラマの第一人者であることは偶然ではあるまい。

エピローグ、あるいは「その他」と呼べない作品群

実は、ちょっと困っている。エピローグだというのに、まだ、八十作に及ぶ畑澤作品を網羅しきれない。イタコとカミサマが登場する作品は八作品もあるのに、渡辺源四郎商店では畑澤イタコ作品を集めてイタコ演劇祭までやっているのに、「イタコもの」はまだ本稿に登場していない。しかも、それ以外にどうしても語っておくべき重要な作品が残っている。

「いじめ」を描いた高校演劇作品『河童』は、二〇〇七年、青森県立弘前中央高等学校に転勤後、青森中央高校演劇部のために書き下ろした新作だ。顧問ではないので、規定によりコンクールでの扱いは「既成作品」となった。劇団昴に書き下ろした『親の顔が見たい』と同様に「いじめ」がテーマで、ほとんど並行して執筆された。ある日、一人の女子高生が目覚めたら河童になっていたという設定は、カフカの『変身』の影響であることは誰の目にも明らかだが、実は、平田オリザ『隣にいても一人』に想を得ている。同年、渡辺源四郎商店は、青年団プロ

ジェクト公演『隣にいても一人—青森編—』（青森公演）を青年団と共催しており、畑澤は俳優として平田オリザの演出を受け、平田の戯曲を深く読み込んでいた。『隣にいても一人』もまた、起きたら夫婦になっていた……という設定で、『変身』のパロディのように芝居が始まるわけだが。

畑澤が顧問ではなかった三年間の二年目の二〇〇八年、青森中央高校演劇部は、『河童』で、第54回全国高等学校演劇大会（三重大会）で最優秀賞を受賞し、『修学旅行』に次ぐ二度目の高校演劇日本一に輝いた。

『修学旅行』あらすじ　青森県のとある高校の修学旅行。平和教育も兼ねて、行き先は沖縄。いよいよ最終日という晩、同じ班の五人の少女たちの心の中でくすぶっていた不満が一挙に爆発するのだった。

女子高校生たちの他愛ないけんかを通して戦争を描いた、この『修学旅行』が地区大会に出場したときの審査員を務めたことが、私の演劇人生を大きく変えたとも言えるだろう。第51回全国高等学校演劇大会（八戸大会）での上演時、八戸市公会堂の観客席が笑いと感動でうねったあの感覚は、今でも忘れられない。

劇団昴ザ・サード・ステージに書き下ろした『イノセント・ピープル』は、ヒロシマ・ナガサキに落とされた二発の原爆を作り上げた五人の若い科学者の人生を描いた作品である。日本人役も登場するが、アメリカ人役がほとんどという、翻訳劇のような設定である。

『イノセント・ピープル』あらすじ　アメリカ　ニューメキシコ州ロスアラモス。原子爆弾開発に従事した科学者ブライアン・ウッド。これは、彼らが歩んだアメリカの「第二次世界大戦後」の物語である。アメリカは朝鮮戦争、ベトナム戦争、イラン・イラク戦争と、戦地へ若者を送り続けた。戦後も原爆・水爆製造に携わるブライアン。しかし、彼の息子はベトナムへ行き、そして娘はヒロシマの被曝二世と結婚する。

『修学旅行』、『イノセント・ピープル』、そして、この本に戯曲が収録されている『母と暮せば』、この三作は同一人物の筆に依るという印象を与えない。戦争をテーマにしながら、芝居の色合いも、手法も、切り口も、何もかもが違う。ただ、畑澤聖悟という一人の劇作家がこの三作を書いたと知れば見えてくることがある。この作者は、入念に資料にあたり、関連しないかに見えるものから関連性を探し、沖縄、青森、広島、長崎、アメリカ、日本……世界を見つめている。戦争を起こしてしまう、原爆を生み出してしまう人間とはなにか、ずっと考え続けている。震災、原発、放射性廃棄物、つまり、命のことをずっとずっと考え続けている。『さらば！原子力ロボむつ〜愛・戦士編』、『藍より青い海』……さらに、本稿で触れられなかった渡辺源四郎商店×（一社）おきなわ芸術文化の箱　渡辺源四郎商店第28回公演『ハイサイせば〜Hello-Gooeby』、そして……キリがない。

畑澤聖悟は多彩だ。単純にジャンルで分けるなら、主宰劇団（小劇場）、高校演劇、委嘱された書き下ろし、ラジオドラマ、映像作品となる。

ピカソ風に時代で分類すると、初期の「会議ものウェルメイドの時代」、宮越と出会った後の「社会派人情作家時代」、3・11以降の「遺された者の癒しの時代」（ここに、イタコものも入る）、さらにそのあとは「気宇壮大時代」とでも命名しようか。

畑澤は、重厚さと軽さを、ミクロとマクロを自在に往来する。自分のスタイルに執着することなく、壊しては作り、作っては壊し、ブルドーザーのように書き続ける。改訂した戯曲は、新作といっても過言ではないほど初演のプロットの痕跡はない。反面、気にいった題材は躊躇なく使い倒す。そして、飽きたら次に歩を進める。他者から見たら制約に見えるものも、何もかも利用する。そんな畑澤は『母と暮せば』のあと、どんなものを書くのか。

私は、本稿に「世界の中心・青森から愛を叫ぶ」というタイトルをつけた。青森が世界の中心だと思っているわけではない。畑澤聖悟はどこに居ようと自分の居場所を世界の中心に変えてしまう、そんな劇作家だということである。

工藤千夏（くどう・ちなつ）

劇作家、演出家、渡辺源四郎商店ドラマターグ
ニューヨーク市立大学大学院演劇科修士課程修了。1992年青年団（平田オリザ主宰）入団、2003年より青年団演出部に所属し「うさぎ庵」主宰。『真夜中の太陽』（原案・音楽：谷山浩子）が、2015年から劇団民藝版が全国巡演。渡辺源四郎商店での活動のために東京と青森を行き来する他、高校演劇大会の審査員、演劇WSで全国を飛び回っている。
代表作『コーラないんですけど』『パーマ屋さん』『だけど涙が出ちゃう』他。畑澤聖悟との共著に対戦型リレーエッセイ『アウガで会うが?』がある。

「そうですか！　手ですか！」

畑澤聖悟

長崎を訪れたのは二〇一八年六月十八日のこと。プロットすら完成していない状態で、シナリオハンティングに出かけた。最初の打合せで演出の栗山民也さんが、

「やっぱりテーマは生命だよね、伸子の職業は産婆（助産師）だし」

とおっしゃっていたが、それに至る有効な鍵は見つけられずにいた。

「長崎に行けばなんとかなるだろう」

とか思っていたのである。

長崎原爆資料館を訪れ、芥川賞作家でもある青来有一館長（当時）からお話を伺った。『この子を残して』で知られる永井隆博士が晩年を過ごした如己堂を訪ねた。カトリック浦上教会（旧浦上天主堂）で頭を垂れ、崖下に残る鐘楼の遺構に原爆の傷跡を見た。浦上の被爆者・深掘リンさんのお宅にお邪魔し、郷土料理の浦上そぼろを頂きながら、お話を伺った。平和祈念像に手を合わせた。市内あちこちにある資料館に足を運んだ。映画『母と暮せば』に登場する伸子の家はこの辺じゃないかしらと、捜し歩いたりもした。

長崎の原爆は山間にある街外れの浦上に落とされた。複雑な地形により熱線や爆風が遮断されたため、長崎駅や県庁など市の中心部は比較的被害が軽微であった。被爆の翌日、長崎市内で営業していた映画館があったらしい。街の中心に爆心地があり、ほぼ全市域に被害が及んだ広島とは事情が違う。こうした地理的な分断は実際に街を歩いてようやく腑に落ちた。被爆直後、長崎市内では「原爆は長崎ではなく浦上に落ちた」「お諏訪さん（諏訪神社）を参らない耶蘇に天罰が下った」などとささやく声があったらしい。それを裏付ける話も伺うことができた。

クリスチャンの子は「アーメンソーメン」などとからかわれ、おくんちにも精霊流しにも参加できなかったという。宗教的な分断もあったのだ。

夜、長崎大学の深尾典男副学長（当時）をはじめとする関係者の方々との食事会を開いて頂いた。その席で栗原貞子の原爆詩『生ましめんかな』の話題になった。広島の原爆投下の夜、地下室に避難していた妊婦が産気づき、同じ地下室内に避難していた一人の産婆が重症にも関わらず無事赤子を取り上げるが、それと引き換えに命を落としたという内容である。『母と暮せば』の主人公が産婆（助産師）である以上、ぜひ作品に引用したいイメージであった。産婆が被爆して重症を負ったらどうしますか？　全身に火傷を負って病院に運ばれたらどうしますか？

「私だったら」

と、口を開いたのは同席していた同大学医学部の大石和代教授である。助産師でもある彼女は、数え切れない命を生ましめたであろう白い腕をまくり上げ、

「右手だけは残してくださいって医者に言います。右手一本あれば産婆はできますから」

きっぱりと言った。私は、

「ああっ！」

と、声を上げたと思う。「エウレカ！」である。ヘレン・ケラーだったら「Water!」である。井戸端の奇跡ならぬ居酒屋の奇跡である。

そうですか！　手ですか！

映画『母と暮せば』のＤＶＤを何十回と観るうち、手が印象に残るようになっていた。序盤で町子が浩二の墓前で伸子の下駄の鼻緒を直す。その町子が終盤ではフィアンセとなった黒田の靴紐をほどく。去り際、町子は伸子に駆け寄り、抱擁する。伸子の背中に回した町子の手。ああ、手だなあ、と思っていたのである。

二人芝居となる『母と暮せば』は生命を生ましめる「手の物語」であるべきなのだ。生ましめることは産婆である伸子が生きるということだ。つまり手は、伸子の命である。

これで書ける、と思った。

大石教授を始め、貴重なお話を聞かせて頂いた長崎の方々、長崎の街とかつて長崎に生きた方々。そして、取材の段取りを付けて頂き、同行のアテンドまでして頂いたこまつ座の井上麻矢さんには深く感謝している。

これより先は余談である。

食事会が終わり、興奮冷めやらぬままホテルに帰ってテレビをつけたらちょうどキックオフの時間だった。ロシアのサランスクで行われていたサッカーワールドカップ。グループＨ初戦、日本対コロンビア戦である。開始から三分足らず、香川真司が放ったシュートをコロンビアのカルロス・サンチェスが手で止めてしまい、レッドカードで一発退場となった。これが番狂わせとも言える日本の勝利につながったのはさておき、このタイミングは偶然とは思えなかった。

「そうですか！　やっぱりハンド（手）ですか！」

きっと神様が天啓のダメ押しをしてくださったのだと、今でも信じている。

上演記録

こまつ座　第124回公演　紀伊國屋書店提携

2018年 10月5日（金）～21日（日）紀伊國屋ホール

10月27日（土）水戸芸術館
11月3日（土）花巻市文化会館
11月17日（土）滋賀県立芸術劇場びわ湖ホール
11月23日（金）市川市文化会館
12月1日（土）春日井市東部市民センター
12月8日（土）草加市文化会館
12月11日（土）兵庫県立芸術文化センター

【スタッフ】

原案＝井上ひさし、演出＝栗山民也、音楽＝国広和毅、
美術＝長田佳代子、照明＝小笠原純
音響＝山本浩一、衣裳＝前田文子、ヘアメイク＝鎌田直樹
方言指導＝柄澤りつ子、宣伝美術＝安野光雅、演出助手＝坪井彰宏
舞台監督＝村田旬作、企画・制作統括＝井上麻矢
協力・監修＝山田洋次

【キャスト】

富田靖子（福原伸子）、松下洸平（福原浩二）

【受賞】

第26回読売演劇大賞　大賞・最優秀演出家賞＝栗山民也
第26回読売演劇大賞　優秀男優賞・杉村春子賞＝松下洸平
平成30年度（第73回）文化庁芸術祭演劇部門・関東参加公演の部
　新人賞＝松下洸平
第53回紀伊國屋演劇賞　個人賞＝衣裳・前田文子

畑澤聖悟（はたさわ・せいご）

1964年秋田県生まれ。

劇作家・演出家。劇団「渡辺源四郎商店」主宰。

青森市を本拠地に全国的な演劇活動公演を行っている。

2005年『俺の屍を越えていけ』で日本劇作家大会短編戯曲コンクール最優秀賞受賞。

2017年『親の顔が見たい』が20世紀フォックスコリアによって映画化。

ラジオドラマの脚本で文化庁芸術祭大賞、ギャラクシー大賞、
日本民間放送連盟賞など受賞。

現役高校教諭で演劇部顧問。

指導した青森中央高校と弘前中央高校を10回の全国大会に導き、
最優秀賞3回、優秀賞5回受賞している。

母《はは》と暮《くら》せば

2021年7月28日　初版発行
2021年8月9日　第2刷発行

著者　畑澤聖悟
発行者　岡田林太郎
発行所　株式会社みずき書林
〒150-0012
東京都渋谷区広尾1-7-3-303
TEL：090-5317-9209
FAX：03-4586-7141
rintarookada0313@gmail.com
https://www.mizukishorin.com/

印刷・製本　シナノ・パブリッシングプレス
装幀　宗利淳一（協力・齋藤久美子）

ISBN 978-4-909710-19-2 C0074